JN012376

新・日英同盟

100年後の武士道と騎士道

産経新聞前ロンドン支局長
岡部伸

白秋社

まえがき――戦後初めて日本を「同盟」と明記したイギリス

一〇〇年に一度ともいわれる新型コロナウイルスのパンデミック（世界的大流行）は、国際環境を激変させた。米中冷戦から一歩進み、欧米の西側民主主義国家と強権国家・中国との対決だ。ヨーロッパ首脳、とりわけ新型コロナウイルスに感染し生死のふちを彷徨ったイギリスのボリス・ジョンソン首相が、全体主義の中国が情報隠蔽も弾圧も辞さない専制国家のままである危険性に気づいたことが大きい。

一九八六年に旧ソ連・ウクライナのチェルノブイリ原発で発生した事故を想起した人も少なくなかっただろう。歴史を繙けば、強権国家の隠蔽体質が惨事を招いた例は枚挙に遑がない。

二〇一九年末、武漢からウイルスを発生させながらも、その隠蔽主義から中国は感染を世界に拡大させた。そして、強権的な監視システムのもとで自国のパンデミックを収束させると、世界にマスクや医療機器を送って権威主義の優位を誇示した。また、ソーシャルメディア（SNS）を使ってアメリカがウイルスの起源だという偽情報を拡散させた。

加えて、世界が感染封じ込めに追われる間隙を縫って、南シナ海や沖縄県・尖閣諸島周辺を含む東シナ海で挑発行動を続け、航行の自由や国際貿易を脅威に晒した。香港では「一国二制度」を定めた中英共同宣言に違反して、取り締まりを強化する国家安全法を導入した。長年にわたって日本を含む西側で違法なスパイ活動を重ね、多数の産業機密を盗んでもいる。

こうした中国の露骨な覇権主義に欧米の不信感は頂点に達したのである。イギリスは「英中黄金時代」の幻想を捨て去り、第五世代移動通信システム（５Ｇ）をリードする中国の通信機器大手・華為技術（ファーウェイ）を、二〇二七年までに全面排除する方針に転換した。かつてアメリカをはじめ西側民主主義国家が旧ソ連と対峙したように、自由民主主義と強権主義・全体主義との新たな冷戦を迎えることは間違いない。

日本が「自由や民主主義や基本的人権、法の支配といった基本的な価値を共有する同盟国として、アメリカと協力をしながら、様々な国際的な課題に取り組んでいく」（二〇二〇年五月二五日、安倍晋三首相の記者会見）こととして、アメリカを中心とする民主主義陣営に立つのは自明である。

ただ民主主義陣営の欧米間は、ドナルド・トランプ政権になってから、北大西洋条約機構（ＮＡＴＯ）における「応分の負担」問題や、イラン核合意からの離脱、気候変動への取り組みに関するパリ協定からの離脱、世界保健機関（ＷＨＯ）からの離脱などの問題で溝が埋めようもないほど広がった。

ドイツやフランスなど欧州連合（EU）は、コロナ禍のロックダウン（都市封鎖）で落ち込んだ経済の立て直しが最優先となり、香港問題で米英を中心とした「アングロサクソン連合」と同じように中国に対決姿勢を取る考えはない。世界は中国・ロシアの権威主義国家、アメリカ、イギリス、オーストラリア、カナダを中心とした「アングロサクソン連合」の民主主義国家、EUの三極に大きく分断されつつあるのだ――。

日本は日米同盟を軸に、アメリカ、イギリス、カナダ、オーストラリア、ニュージーランドという英語圏アングロサクソン五ヵ国が構成する機密情報ネットワーク「ファイブ・アイズ」との連携を強化し、イギリスと自由貿易協定（FTA）を締結し、環太平洋経済連携協定（TPP11）に米英を巻き込んで、中国に対抗することを目指すべきだ。

コロナ禍後、各国で国民国家への意識の回帰が進み、ナショナリズムや自国第一主義が高まっている。こうしたなか日本は、経済や安全保障などで共闘できるパートナーが必要となる。同盟国アメリカと協調しながら、アメリカと同盟関係にあるヨーロッパの島国、イギリスとの関係強化がクローズアップされる。

「東京オリンピック・パラリンピックは完全な形で開催したい」――地球規模で感染が拡大する新型コロナウイルスのため、二〇二〇年の開催が危ぶまれていた三月一六日の主要七ヵ国（G7）首脳によるテレビ会議。安倍首相が前記のように提案すると、すかさずイギリスのジョンソン首相は親指を立てるサムズアップで応じ、他の首脳も頷（うなず）いた。

「完全な形」とは、延期はしても中止は考えないという意味だった。安倍首相の提案をジョンソン首相が支持して流れを形成し、国際オリンピック委員会（ＩＯＣ）が東京オリンピック・パラリンピックの延期検討を始めると発表した。このテレビ会議前に安倍首相は、トランプ大統領から「一年間延期すべきだ。観客がいないよりもいい。東京オリンピック・パラリンピックを一〇〇％支持する」との了解を得ていた。

ジョンソン首相の「アシスト」とトランプ大統領の「事前了解」で東京オリンピック・パラリンピック中止が回避された。日本は引き続き米英と連携し、国際社会での影響力を発揮していかなければならないだろう。八月二八日に辞意を表明した安倍首相に、ジョンソン首相はツイッターで、「日英関係が貿易、防衛、文化の面で一段と強まった」と称えた。

二〇一五年一二月から約三年半、筆者はイギリスに、産経新聞ロンドン支局長として赴任した。アメリカにもロシアにも暮らしたが、イギリスでの生活が最も違和感なく心地よかった。とりわけ同じ立憲君主制の海洋国家の日本とイギリスは、海洋同盟というべき安全保障を中心に、戦略的な関係強化が急ピッチで進んでいることを実感した。

二〇二〇年、ＥＵを離脱したイギリスは、その五年前の二〇一五年に発表した国家安全保障戦略で、戦後初めて日本を「同盟」と明記した。アメリカの最も緊密な同盟国である日英は互いに「アジア・ヨーロッパにおいて相手国の最も重要なパートナー」と呼び、コロナ禍で覇権国家・中国の正体が判明したいま、関係の緊密化が進んでいる。

七つの海を支配した大英帝国の終焉から長い時間が経ったとはいえ、核保有国のイギリスはNATOに加盟し、国連安全保障理事会の常任理事国であり、主要七ヵ国(G7)の一つである。そしてエリザベス女王は、五四の英連邦諸国を束ねる。加えて世界最強・最大の情報機関を有し、ロイターやBBC(イギリス放送協会)など世界に影響力のある報道機関を持つ。また、世界共通語である英語での発信力もある。さらに、世界の金融センター「シティ」に国際石油資本を持ち、ロイズ保険機構のように世界の保険料率を決める機能もある。こうした国家と「同盟」と呼ぶ関係を築くことは、日本にとって大きな国益となるだろう。

目指す新しい形の「同盟」は、一〇〇年前の軍事同盟とは目的や構造が違う。幅広い分野で協力する「同盟の新しい形態」(英外務省)だ。協力する分野は、人道支援、テロ対策、平和維持活動、海洋安全保障、サイバーセキュリティ、インテリジェンス(諜報活動)、新型コロナウイルス対策など公衆衛生……極めて多岐にわたる。

安全保障では、防衛装備品の共同開発など、あらゆる分野で包括的に協力し合う。「日英が新たな同盟を結び、ともに既存のアメリカとの同盟関係と調和させ、場合によって日米英の三国による同盟を目指す」(アメリカ国防総省ダニエル・K・イノウエ・アジア太平洋安全保障研究センターのジョン・ヘミングス准教授)。そして、オーストラリアやインドなどとの同盟を組み合わせ、アジア太平洋地域で平和と安定のための新たな安全保障の枠組みが実現すれば、日本の外交力と国際的地位の向上が期待できる。

コロナ禍のもとでは、中国による企業や土地の買収を防ぐため、経済安全保障の重要性がクローズアップされた。また、中国がサイバー攻撃やスパイ活動を通じ、ハイテク、ワクチン、治療薬開発の情報窃取（せっしゅ）を図っている事実が判明した。こうした現状に場当たり的な対処をすることは国益を毀損（きそん）する。高度な分析力を持ったインテリジェンスが必要になる。そこで、世界最高のイギリスのインテリジェンスから協力を得られれば、大きな力になるだろう。

日英が新たな同盟を結べば、「ファイブ・アイズ」に日本が正式参加する可能性が高まる。米英情報関係筋は、「欠かせぬメンバーとしてすでに日本を招待している。コロナ禍でその動きは高まりつつある」と明言する。ジョンソン首相も二〇二〇年九月一六日、議会で、日本の「ファイブ・アイズ」参加は大きな成果になると、歓迎の意を示した。

米英は友好国・日本を加えた「ファイブ・アイズ＋（プラス）」の拡大枠組みを通じ、自由と民主主義の「シックス・アイズ」として、全体主義国家・中国に照準を合わせる構えだ。

日本の「ファイブ・アイズ」入りのチャンスである。ただ、ギブ・アンド・テークが原則の情報の世界で日本が「プレーヤー」となるには、機密情報をもらうだけでは不十分だ。他の加盟国に与えられる自前の機密情報を入手できる対外情報機関を整備せねばならない。

日本には戦前、日露戦争の明石元二郎（あかしもとじろう）をはじめ、国際水準で第一級の対外インテリジェンスを行った歴史がある。また戦後も、外務省には任国の中枢に食い込み、機微に触れる情報を入手した外交官もいる。防衛省が傍受する北朝鮮と中国、そしてロシアの軍事情報には定評がある。警察庁のカウンター・インテリジェンス（防諜活動）も世界最高水準だ。サイバー・インテリジェンスにおける防衛省の能力も高い。

さらなる高度な情報を得るため、政府には、省庁の壁を取り払い、首相官邸直属の対外インテリジェンス機関新設の契機としてもらいたい。

イギリスに暮らして取材をしてみて、日英は歴史的にも地政学的にも磁石のN極とS極のように強く引き付け合う必然性があることが分かった。本書で新たな同盟関係に進もうとしている日英の現状を、読者にお届けできれば幸いである。

なお、本書に登場する人物の肩書きは、特にことわりのない限り、当時のものとし、また、歴史上の人物など、一部敬称を略させていただいた。

そして、一ドルは一〇五円、一ユーロは一二五円、一ポンドは一四〇円で計算させていただいた。

岡部（おかべ） 伸（のぶる）

新・日英同盟　100年後の武士道と騎士道◉目次

第2章　ファイブ・アイズに招かれる日本

第3章　日本から「逆輸入」するイギリス

第4章 双子のような日本とイギリス

第5章 日本の皇室とイギリスの王室

第6章 「文明の生態史観」と日英同盟の必然

第7章 日英同盟を生んだサムライ・ジェントルマン

第8章 イギリス人が誇る東郷元帥と戦艦「三笠」

終章　武士道と騎士道とチャーチル

新・日英同盟　100年後の武士道と騎士道

序章　尊敬される日本を作った人たち

イギリス人の六五%が日本の影響に好意的

天皇陛下の御代替(みよが)わりとラグビーワールドカップ(W杯)を開催した二〇一九年に続き、東京オリンピック・パラリンピックを開催する日本は、かつてないほど世界から注目されていた。しかし日本人は、ヨーロッパ大陸の近くにある日本と同じ島国・イギリスから、特に熱い視線が送られていたことをあまり知らない。

イギリスで暮らすと、一世紀前、東洋の島国・日本と西洋の島国・イギリスとのあいだに生まれた縁(えにし)が脈々と続いていると感じることが少なくなかった。かつて日本の保護者であり、お手本だったイギリスが、時代を経て、世界有数の先進国に発展した日本そして日本人に特別高い評価を与え、敬意を払っていると思うことがあった。

スシをはじめとする日本食はヘルシーでおしゃれだが、高級なイメージがある。そこでイギリスでは、ロンドン市内を中心に、十数年前から、サーモンやまぐろ(ツナ)の握りやカリフォルニア巻きなどをパックに詰めてテイクアウトする、カジュアルなファストフード日本食店が出現した。日本円にして約一〇〇〇円程度から、スシ、カツカレー、ギョーザが食べられるために人気を集め、近年では複数の業者がチェーン展開に成功している。

この持ち帰りスシのチェーン店はイギリスだけではなかった。ノーベル賞授賞式の取材で出張したスウェーデンのストックホルム、あるいはオーストリアのウィーン、さらにフランスやドイツなど、ヨーロッパ各地で急増している。

スシは日本料理を代表する日本文化の象徴である。そのことを強調したうえで、持ち帰りスシ店では、どら焼き、緑茶、枝豆なども販売され、富士山の写真が飾ってあったりする。しかし、経営するのは日本人ではない。ほとんどが日本人以外のアジア人である。

「スシは人気なので、当然、日本人が経営して販売していると思っていた」

日本人以外のアジア人が、スシのファストフード店を営んでいることに驚くイギリス人も少なくなかった。

二〇一九年秋、日本で開催されたラグビーワールドカップの日本代表チームでは、母国の代表ではなく日本を選んで戦う外国人選手が注目された。国籍は異なるとはいえ、日本が好きで日本を背負って戦ってくれたことに対し、筆者は感謝する気持ちでいっぱいになった。

同様にイギリスでも、日本人や日本文化に憧(あこが)れるアジア人が数多くいることは驚きだった。多民族・多文化の共生社会で、アジアの人が日本人の行動様式をまねて振(ふ)る舞(ま)っている。また母国の民族料理よりも日本のスシや弁当を「日本料理」として販売している。日本がアジアの人たちのロールモデル、模範となっているような気がした。

幸いなことに、イギリスで自分が日本人であることを隠さなければいけないことはなかった。どちらかといえば、日本人といえば、「礼儀正しく勤勉で信頼できる」と好意的に受け入れられ、胸を張って生活することができた。

それも、イギリスで品行方正に凜(りん)とした生き方を重ねてきた先人の努力の賜物(たまもの)だろう。かつて第二次世界大戦で日本軍と戦い、捕虜となった元兵士たちを中心に、「野蛮で残虐(ざんぎゃく)な日本人」というネガティブなイメージがあったことは否(いな)めない。一九九〇年代には、イギリス人の元戦争捕虜の団体が日本政府を相手取って個人補償請求の訴訟を起こし、謝罪を要求していた。日本への恨みの感情が強かったためだ。

しかし戦後数十年を経て、民間団体や在英日本大使館などの尽力(じんりょく)で、日英和解は着実に進んだ。二〇一四年のBBCの調査によると、イギリス人の六五%が日本の影響を好意的に受け止め、ヨーロッパでは最も高かった。

メイ首相の「日本は最大のパートナー」

日産自動車をはじめ多くの日本企業がイギリスに進出したことも大きかった。しかし、こうして和解が進み、日本人の良いイメージが作られ、イギリス社会で信頼を得たのは、さらに先人たちの血のにじむような努力の賜物だったに違いない。

二〇一七年のノーベル文学賞を受賞したイギリス人作家、カズオ・イシグロさんも、その一人だろう。長崎県長崎市に「石黒一雄(いしぐろかずお)」として生まれ、一九六〇年、海洋学者の父親の赴任で英南部のギルフォードに移住した。そうしてイギリス人として学校に通い、イギリスの教育を受けて育ち、成人後に英国籍を選択した。ノーベル文学賞を受賞した際には、次のように語っている。

「心はいつも生まれ故郷の長崎にあった。国際的な日本人になろうと努めてきた。イギリスの教育には感謝している」

こう、日英双方の文化に良い影響を受けたことを強調したのだ。イシグロさんが渡英した一九六〇年代は大戦から十数年しか経過しておらず、交戦した日本に対する偏見や反感、そして差別があったことは想像に難くない。

イシグロさんは、外国人叙勲として旭日重光章受章後、二〇一八年九月一二日にロンドンの日本大使公邸で行われた叙勲伝達式でも、こう言い切った。

「ギルフォードの人たちは、私たち家族を温かく受け入れてくれた。五歳で（イギリスに）渡った少年時代から日英友好に努力してきた。憂慮した大戦中の暗い影も徐々に薄れ、現在の若い世代はそれを感じることもなくなった。この影が徐々に薄れたことが人生の喜びの一つだ」

ロンドンの日本大使公邸での叙勲伝達式のカズオ・イシグロ氏

イギリス社会で認められようとたゆまぬ努力を重ね、「誤解」を払拭したのだろう。「暗い影」という言葉でイシグロさんが表現した日本人に対するイギリス社会の偏見や差別がなくなり、イギリスを代表する瞠目すべき英文学者として成長したのである。

「これ（ノーベル賞の受賞）で、海外育ちも悪くないことが証明されたのでは」と、イシグロさんは胸を張った。

「家を貸すなら、清潔に使用して家賃を踏み倒すことがない日本人に貸したい」「メード・イン・ジャパンは世界最高だ」などと、日本人を尊敬される存在に押し上げたイシグロさんたち先人の努力に感謝したいと強く思う。

そして現在、欧州連合（EU）からの離脱を決め、「グローバル・ブリテン」として「スエズ運河以東」への回帰を模索し始めたイギリスが日本へ接近している。かつてのグローバル・パワー（世界国家）への返り咲きにはアジアのパートナー、日本が不可欠となるからだ。

国内総生産（GDP）でイギリス（第五位）を抜いて世界第三位の日本は、イギリスと同じ主要七ヵ国（G7）の一つである。同じ海洋国家の島国としてパートナーにはふさわしい。

二〇一七年八月三〇日、当時の英首相、テリーザ・メイ氏は、アジア諸国を歴訪するのではなく、安倍晋三首相と会談するためだけに来日し、日本は「アジアの最大のパートナーで、like-minded（同志）の国」だと評した。

日英が互いに「同盟国」と呼び合った日

イギリス人が「like-mindedの国」という表現を使うのは、オーストラリア、ニユージーランド、カナダなど、英連邦のなかでもイギリスと関係が強い「兄弟国」に対してだけだ。当時のメイ首相が日本を「ｌｉｋｅ－ｍｉｎｄｅｄの国」と呼んだことは異例でもある。

そして日英の両首脳は、日英関係をパートナーの段階から同盟の関係に発展させることを宣言した。日英が互いを「同盟国」と公式に呼び合ったのは、一九二三年に日英同盟を破棄して以来、初めてのことだった。

また、政権を引き継いだジョンソン首相は、二〇一九年八月二日、安倍首相と電話会談して、「日英関係はこれまでで最も良いことを嬉しく思っているが、さらに良くできると考えている」と述べ、良好な日英関係を発展させる考えを示した。そうであれば、なおさら、これからもアジアの人たちのお手本となるように、日本人は襟を正して行動していかなければならないと痛感する。

日本はアジアで数少ない戦前からの独立国であり、豊かな独自の文化を持つ。イギリスの王室と同じ皇室による立憲君主制で、島国という共通項がある。自由と民主主義、そして法の支配という価値感も共有し、超大国アメリカと同盟関係にあることも共通する。イギリスと日本はどこか似ており、互いに親近感を抱き、不思議な磁力で引き合っている。

歴史を繙くと、第二次世界大戦前後の不幸な時期を除き、日本の明治維新から現代まで、最も親しい関係を続けてきた。一八六三年の薩英戦争から第一次世界大戦までのあいだ、イギリスは明治新政府を世界で最初に承認し、その後、日英同盟を結び、日本と友好関係を築いてきた。

イギリスがＥＵというヨーロッパの軛(くびき)から抜けたいま、再び日英が緊密となり、同盟関係を結ぼうとしているのだ。

第1章　グローバル海洋同盟

「ヨーロッパ合衆国」を狙って暗躍したCIA

二〇二〇年、世界的に猛威を振るった新型コロナウイルス。まずイタリアで感染が拡大し、瞬く間に欧州連合（EU）全域に広がった。未曽有の危機に、加盟国がEU市民の健康を守るため結束して対応すべきだったが、加盟国はただ国境を遮断し、イタリアで医療用マスクが払底した。三月六日には、EU緊急保険相会議で、各国からマスクを一括調達することを議題にしながら、中核国であるドイツとフランスは応じなかった。自国からのマスク輸出を禁止したドイツに対し、フランスは国内の在庫を差し押さえて、頑として動かなかった。

普段は、財政規律やヨーロッパ軍創設など、外交や経済政策で「EUの結束」を加盟国に要求するドイツとフランスが、いざ不測の事態を迎えるや、「自国優先」「自国第一主義」の姿勢を取った。「共同体」が機能不全である現実が改めて露呈したのだ。

「ヨーロッパは一つ」「強い経済圏でみんなが豊かに」——第二次世界大戦後、美しい理念で創出されたEUだが、その舞台裏では各国の利己主義と排他主義を背景にしたナショナリズムが衝突し、「脳死」状態にある。

新型コロナウイルス感染症が拡大している最中の二〇二〇年一月三一日、かつて世界の七つの海を支配したイギリスは、そんな沈没寸前の「泥船」EUから、世界史に残る離脱を果たした。

「終わりではなく始まりだ。この素晴らしい国が持つ潜在力のすべてをいまこそ解き放ち、すべてのイギリス市民の暮らしを改善しよう」

ジョンソン首相は、そう呼び掛けた。そして、「これは国家が真に生まれ変わる瞬間だ」と訴え、「新時代の夜明け」を宣言したのだ。

第二次世界大戦後、不戦の誓いから大陸ヨーロッパで、ＥＵの原点となった欧州石炭鉄鋼共同体（ＥＣＳＣ）が生まれた。一九五二年に、フランス、西ドイツ（当時）、イタリア、ベルギー、オランダ、ルクセンブルクによって結成されたのだ。

この背後では、西側でヘゲモニーを握ったアメリカの情報機関である中央情報局（ＣＩＡ）が暗躍していた。マーシャルプランを軸に、ヨーロッパに共産政権を誕生させないよう「一つのヨーロッパ」を画策していたのだが、このことはあまり知られていない。

大戦末期のスイスで終戦工作に奔走(ほんそう)したＣＩＡの前身である戦略情報局（ＯＳＳ）のベルン支局長、アレン・ダレスや、ＯＳＳ長官のウィリアム・ドノバンが、終戦工作でヨーロッパ各国のレジスタンス運動に関わった活動家と工作したのだ。

背景には、ホロコーストを行ったナチス・ドイツの台頭を許した反省と、鉄のカーテンで仕切られた全体主義国家・ソビエト連邦に対し共同で対抗しなければならないという、危機感があった。その意味では、ベルリンの壁が崩れ、ソ連が崩壊して冷戦が終了した一九九〇年代初め、ＥＵは設立とともに歴史的使命を終えたともいえる。ところが独仏主導で東欧にまで拡大し、ずるずると継続したことで、今日「統合」疲れから遠心力が働いている。これも不安定な状況が続く原因の一つなのかもしれない。

そして、このCIAが形作った「ヨーロッパ合衆国」の原点、ECSCを、頑として拒否して加盟しなかったのが、アメリカの最も近しい同盟国たるイギリスであった。歴史を繙けば、「ヨーロッパであってヨーロッパではない」と自認するイギリスは、最初から「ヨーロッパ統合」に背を向けていたのである。

「グローバル・ブリテン」構想とは何か

戦争の道具となる鉄の生産を共同にして、二度とヨーロッパに戦火を招かないことを目的としたECSCは、やがて経済的にヨーロッパに単一市場を作るEUへの道を歩み始める。しかしイギリスは、兄弟国・アメリカの再三のEU加盟要請をも拒否した。大陸ヨーロッパとは一線を画し、「ヨーロッパ合衆国」に反旗を翻し続けたのだ。

イギリスの首相を務めたウィンストン・チャーチルは、一九四六年九月にスイスのチューリッヒ大学で行った演説で、イギリスの外交基本路線について、こう述べている。

「変転していく人間の運命のなかで、わが国の将来を展望してみると、自由諸国民と民主主義国家のなかで三つの大きな輪（サークル）の存在を感じざるをえないのです。最初のものは、英連邦（コモンウェルス）と帝国であり、次なる輪は英語圏であり、イギリス、カナダ、英自治領、アメリカ合衆国が重要な役割を果たしている。最後のものは統合されたヨーロッパであります。これら三つの壮厳なる輪が共存し、結び合わされば、それらに何かを加えたり、介入したりすることのできる新勢力や同盟など存在しえないのであります」

チャーチルは「ヨーロッパ合衆国」の創設を訴えながら、イギリスが関係を深めるのは①英連邦諸国②アメリカ合衆国③「ヨーロッパ合衆国」として、ただ「ヨーロッパ合衆国」には加わらない考えを示した。

ECSCは一九五七年に欧州経済共同体（EEC）となったが、イギリスはアメリカ合衆国との「特別の関係」を重視し、積極的に大陸ヨーロッパと関わりを持とうとはしなかった。

植民地を失って「イギリス病」に苦しむイギリスが、ようやく一九七三年に加盟したのが、一九六七年からスタートした欧州共同体（EC）だった。しかしこれは、あくまでも経済的実利から決めた参加であった。「嫌々ながらのヨーロッパ人」たるイギリスは、ヨーロッパの一員になることを拒み、その後も共通通貨ユーロを採用しなかった。

また、ヨーロッパの国家間で国境検査なしに越境することを許可するシェンゲン協定にも入らず、「半身の加盟」を続けた。移民政策などに関して主権回復が焦眉（しょうび）の急（きゅう）となっているときにEUから抜けるのは、不自然ではない。現実的な判断だと思う。

「『自信と自由に満ちた国』としてヨーロッパにとどまらず、幅広く経済的・外交的機会を求める」――イギリスが向かう先は、世界である。テリーザ・メイ首相が、国民投票から三ヵ月後の二〇一六年一〇月の保守党大会で明らかにし、ボリス・ジョンソン首相も外相時代に表明した「グローバル・ブリテン」構想は、半世紀ぶりに国家の針路を大陸から海洋へと切り替えるもの。EU離脱後の新たな経済・外交・軍事の戦略として視線を向ける先は、かつて経済と軍事で覇を唱えた「インド太平洋」だ。

イギリスは一九六八年、英軍のスエズ運河以東からの撤退を表明して以来、グローバル・パワー(世界国家)の座から退き、ヨーロッパの安全保障にだけ注力してきた。ところがEUを離脱したいま、ヨーロッパの一員である一方、国際社会に積極的に貢献し、かつてのようなグローバル・パワーへの返り咲きを目指す。

しかし、EU離脱で国力が低下するイギリスに、どれだけグローバル・パワーが回復できるか、それは未知数である。ただ、これまではEUの一員として二八ヵ国の足かせがあった。合意形成の煩(わずら)わしさがあり、政策実行のスピード感は乏しかった。が、それから逃れて身軽になったため、世界の潮流と向き合える。これはプラス要因である。

「グローバル・ブリテン」がどこまで実現するのか、あるいは実現したとしても、どの程度効力を発揮するのか、それは不明だ。イギリスが、インド、オーストラリア、日本、アメリカとの関係を深め、インド洋から太平洋地域に再び進出するために要する費用対効果にも検討の余地がある。

それでも、EUを離脱したイギリスにとって、「スエズ運河以東」への進出が喫緊の課題となる。七つの海を支配した誇り高き英海軍が世界の大海原に戻ってくることは間違いない。後述するが、中国が統制強化のために「国家安全法」を施行した香港の市民三〇〇万人に市民権を与える政策は、EUとは異なる独自の提案であり、ブレグジット効果といえる。

TPPで日本と協力して「脱中国」を

EUを離脱したイギリスは、旧植民地と自治領を合わせて五四ヵ国で構成する英連邦諸国のネットワークを活用し、徹底した規制緩和によって世界から先端企業を招く。「テムズ川のシンガポール」を目指すのだ。

経済的には、様々な国と個別に自由貿易協定（FTA）を結ぶべく、交渉を始めた。まず特別な関係にあるアメリカ、その次が日本、そして英連邦の中核国オーストラリアとニュージーランドが第一優先のグループである。

二〇二〇年二月、離脱後初めての外遊先の一つとして訪日したドミニク・ラーブ外相は、「日本はトップ・プライオリティの国の一つだ」と述べ、EUとの交渉と並行して日本との経済連携協定（EPA）の早期妥結と、環太平洋経済連携協定（TPP11）への参加を目標にする考えを示した。アメリカやアジアを中心に、より積極的に自由貿易を行い、競争力を回復する狙いだ。

イギリスが挙げたFTAを結ぶ第一グループの国は、日本以外はアメリカやオーストラリアなど、言語や文化を同じくするアングロサクソンの兄弟国である。これらは各国の情報機関が傍受した秘密情報を共有するＵＫＵＳＡ（ウクサ）協定を結ぶ「ファイブ・アイズ」の国々でもある。こうした血を分けた同盟国と日本を同列に扱うことで、イギリスがいかに日本を重要視しているかが分かると思う。

二〇二〇年、中国・武漢から発生した新型コロナウイルスの感染が世界に拡大し、イギリスがＥＵとの将来的な関係を規定するＦＴＡの交渉が遅れた。これを受け、日英両政府は、ＥＰＡをめぐる交渉を同年六月九日から開始した。

「日本はＴＰＰ11のリーダー。ＴＰＰ11は世界の国内総生産（ＧＤＰ）の一三％を占め、イギリスが参加すると、一六％以上に増える。日本とのＥＰＡは、イギリスのＴＰＰ11への加盟に向けた重要な一里塚となる」

日本の茂木敏充（もてぎとしみつ）外相と、三〇分間、ビデオ会議を行ったエリザベス・トラス国際貿易相は、そう述べた。ＥＵを抜けたイギリスが、日本を頼ってアジア太平洋経済への関与を図っていることがうかがえる。

日本にとっても、日英ＥＰＡには、大きな意義がある。ＥＵ離脱による、イギリスに進出する日系企業約一〇〇〇社の営業と約一六三五億ドル（約一七兆一七〇〇億円）にのぼる直接投資（二〇一八年末残高）への影響を、できるだけ小さくすることにつながるからだ。

日英両国はＦＴＡ交渉を加速し、日本とＥＵのＥＰＡを基盤にして、日欧を上回る自由化を盛り込んで、二〇二〇年九月一一日に交渉が大筋で合意した。イギリスがＦＴＡで妥結したのは、日本が初めてとなった。アメリカやオーストラリアの兄弟国など、どこの国よりも早く、交渉期間三ヵ月で日本との貿易協定をまとめたのだ。

　イギリスは、「日英両国にとって歴史的なこの合意は、現在でも強固な民主主義的な島国同士の関係をさらに強化する」（トラス国際貿易相）と自賛した。日英は、イギリスのＥＵ離脱移行期間が切れたあとの二〇二一年一月からの発効を目指すことになった。

　コロナ禍のなか、閣僚として初めて、茂木外相が二〇二〇年八月初めにイギリスを訪問した。そうして対面外交を行い、通商交渉を重ねたほか、香港問題などをめぐって対中政策を論議した。日英で緊密な連携を続けることを確認したのだ。

　コロナ禍で世界が甚大（じんだい）な経済的打撃に直面し、保護貿易に進もうとするなか、日英が開かれた市場の推進役として協力する。開かれた世界のサプライチェーン（供給網）を維持し、保護主義に屈せず、自由貿易を目指そうという試みである。これは、企業、労働者、消費者にも有益であり、世界経済にも良い刺激を与えることだろう。

　コロナ禍における医療品などの調達で、イギリスが戦略的に重要な七一製品を中国に依存していることも明らかになった。ジョンソン首相は、中国依存のサプライチェーンを大幅に見直して多様化する声明を出した。イギリスは日英ＥＰＡ締結のあと、日本の支援によって、ＴＰＰ11への加盟を目指すが、ＴＰＰ11にはベトナムなど製品の供給候補国が加盟している。日本と協力しながらTPP11を活用し、サプライチェーンの「脱中国」を目指すのだ。

日本は「同志のような同盟」

貿易だけではない。イギリスは日本を、アジアとヨーロッパにおける「最も緊密な安全保障パートナー」と位置づけて、安全保障面での協力を強化している。核・ミサイル開発を進める北朝鮮や、コロナ禍の間隙を縫って南シナ海や沖縄県・尖閣諸島周辺を含む東シナ海で挑発行動を続ける中国をにらみ、アメリカを共通の同盟国とする日英の利害が一致しているからだ。

デービッド・キャメロン政権時の二〇一五年から、日英外務・防衛閣僚会合（2プラス2）が開かれ、日本が提唱した「自由で開かれたインド太平洋構想」にイギリスは賛同し、その実現でも足並みをそろえている。一九二三年の失効から約一〇〇年を経て、日英同盟が「復活」の兆しを見せているのは間違いない。

大英帝国の時代と同様、EUから離脱したイギリスは、再びヨーロッパ域外への関与を強め、グローバル・パワーとして行動することで存在感を示そうとしている。

アジアでは中国が急速に台頭し、経済的にも軍事的にも覇権的行動を露わにし始めた。ユーラシア西部では、クリミア半島に侵攻したロシアの脅威が顕在化しつつある。ウクライナやバルト三国をも威圧し、さらにシリア内戦への介入で中東地域に積極的に進出するロシアは、欧米諸国に対してサイバー攻撃や選挙介入、あるいはフェイク情報による謀略活動などを多用している。このようにヨーロッパの分断を図るロシアと欧米の関係は冷え込み、「新冷戦の到来」とさえいわれている。

この日英緊密化の動きは、イギリス主導で始まった。中国やロシアの攻勢に対抗し、イギリスが信条とする自由と民主主義、そして法の支配による政治システム、また海洋の自由を礎とする自由貿易体制を擁護するためにも、アジア太平洋地域への関与を強め、グローバルに活動する必要があるからだ。

こうした国際情勢を受けて、キャメロン政権が二〇一五年に策定した「国家安全保障戦略」では、戦後初めて日本を、価値観を共有するオーストラリアやニュージーランドと同じ「（同志のような）同盟」と明記し、海洋国家同士の連携を打ち出した。さらに、アジアにおける安全保障分野での最も親しいパートナーとして、日本と、防衛、政治、外交各方面での協力体制を強化すると盛り込まれた。

ＥＵからの離脱も重なり、アジア回帰の戦略を加速させるうえで、日本との関係を、この戦略の要に位置づけたのだ。「日本はアジアで最も緊密な安全保障上のパートナーだ」と、戦略文書には明記されたのである。

ヨーロッパからアジアへと舵を切ったイギリスが、アジア戦略を進めるうえでのベストパートナーとして選んだのが、日本である。このことを日本は、忘れてはならないだろう。

イギリス国防相関係筋は、「ＥＵから離脱したイギリスは世界から孤立したくない。パートナーを必要としている。コロナ禍によって、中国が情報隠蔽も弾圧も辞さない全体主義の覇権国家であることが明らかになった。アジアでは、価値観を共有する海洋国家の日本がベストパートナーであることは明白だ」と指摘している。

英首相が語る「日本は自然な同盟国」

イギリスが日本を重視していることは、二〇一七年八月三〇日、メイ首相が日本を訪問した際にも、色濃く浮き彫りになった。このときメイ首相は、アジア諸国を歴訪するのではなく、安倍晋三首相と会談する目的だけに日本を訪問したのである。

そうして安倍首相と会談し、安全保障に関する「共同宣言」を発表。両国は「グローバルな戦略的パートナーシップを次の段階に引き上げること」で合意し、共同演習を推進していくことも確認した。

このときメイ首相は、日本は「アジアの最大のパートナーで、ｌｉｋｅ－ｍｉｎｄｅｄ（同志）の国」だと評した。イギリス人が「ｌｉｋｅ－ｍｉｎｄｅｄの国」という表現を使うのは、オーストラリアやニュージーランド、あるいはカナダなど、英連邦のなかでもイギリスと関係が強い自治領の「兄弟国」だ。日本を兄弟国並みに「ｌｉｋｅ－ｍｉｎｄｅｄの国」と呼んだことは異例だった。

さらにＮＨＫからのインタビューでは、「日英はともに海洋国家であり、外向き志向の国。

ともに民主主義や法の支配、人権を尊重する。私たちは自然なパートナーであり、自然な同盟国だ」と語った。

イギリスの首相自らが、日本を「同盟国」と呼んだのである。

その言葉通り、メイ首相は、「日本の国際協調主義に基づく『積極的平和主義』の政策とイギリスの『グローバルなイギリス』というビジョンに基づいて」、グローバル・パワーとして日本との同盟関係を活用し、アジア太平洋地域の安定に関与していく方針を明確にしたのだ。

日本を「同盟国」と呼んだメイ首相の「親日」が、言葉だけではなかったと裏書きされたことがある。日本をはじめ、アメリカ、オーストラリア、カナダ、ニュージーランドの五ヵ国（その後、シンガポールと韓国も加えて七ヵ国）の市民が、二〇一九年五月から、イギリスに入国する際の入国管理が大幅に緩和されたのだ。空港などでの入国時、イギリス市民や欧州経済領域（ＥＥＡ）のヨーロッパ市民と同様、顔認証システムでパスポートの証明写真を比較して入国管理を行う自動化ゲートが利用できるようになった。待ち時間も大幅短縮されたのだ。

それまでイギリスへの入国時には、観光客が世界中から殺到する夏季では、ロンドンのヒースロー空港で最大二時間半もの待ち時間を余儀なくされていた。世界で最初に、アメリカやオーストラリアなど英連邦の「兄弟国」とともに入国管理が緩和されたことは、英政府が本当に日本を重要視していることの表れである。

考えてみれば、メイ首相が日本を「同志のような同盟国」と呼んだように、日英には共通点が多い。ともにアメリカの強固な同盟国であり、海洋国家。島国という地政学上の共通点もある。日英はそれぞれ、ユーラシア大陸の東と西の端に位置し、ロシアと中国という、力によって現状変更を試みる勢力と対峙（たいじ）しているからだ。

両国に共通する最大の関心は中国だ。イギリスは中国の南シナ海などへの一方的な海洋進出に脅威を感じている。イギリスにとって東アジアは極東だが、朝鮮戦争時、国連軍に派兵した経緯がある。北朝鮮とも国交があり、平壌（ピョンヤン）に大使館を開設して、外交関係もある。北朝鮮有事の際に参戦する可能性もある。

ＧＤＰ世界第二位の中国からの投資は、ＥＵから離脱したイギリスの経済活動にとっては大きな存在ではあった。が、国際ルールを無視して南シナ海の人工島を軍事拠点化するなどの行為や、経済支援を名目に途上国に巨額の資金を貸し付けて影響力を強める政策は、自由と民主主義、そして法の支配に反すると受け止める。英連邦を形成するスリランカのように、シルクロード経済圏構想「一帯一路」に参加して財政支援を中国から受けながら、借金返済が叶（かな）わず、建設した港を差し押さえられて「債務の罠」に陥った例もある。

世界平和を担う史上初のグローバル海洋同盟

一方、日本側にも、イギリスと接近する合理的な理由がある。

覇権主義的な行動を取る中国に対して、安倍政権は遠交近攻政策で牽制（けんせい）し、日本が国際政治の舞台で埋没しないように「積極的平和主義」を打ち出した。そうして日本外交の活動領域を、ヨーロッパへと拡大させた。ＮＡＴＯとの安全保障協力推進や「２プラス２（外務・防衛閣僚会合）」などをはじめ、英仏に対する関係強化を進めてきた。

東アジアでは北朝鮮の核・ミサイルの脅威が懸念される一方、ドナルド・トランプ政権の「自国第一主義」などによって、アメリカの東アジア政策は不透明感を増している。日本としては、日米安保体制に加え、準同盟国と呼びうる友好国と協力して、中国やロシアに対峙することが検討された。

ヨーロッパと連携するに当たり、歴史的経緯や経済的関係などを勘案すると、かつて同盟関係にあったイギリスとの同盟を復活させるほかないことは明らかだろう。

日本とイギリスのあいだには、ユーラシア大陸を挟んで約九三〇〇キロという遠大な距離が存在する。しかし日英両国は、どちらからともなく、軌を一（いつ）にして、互いに相手を必要として接近しているのだ。

日本の指導者は、中国にすり寄るよりも、イギリスとの関係をさらに強固にすべきである。「新・日英同盟」が構築されれば、日米にイギリスを加えた日米英の連携で、グローバルかつパワーバランスが安定する海洋同盟が誕生する。さらに「新・日英同盟」に太平洋・インド洋に位置する英連邦加盟国との連携も組み合わせれば、ロシアや中国という強権的な大陸国家を囲い込んで、世界平和を担う史上初の「グローバル海洋同盟」が生まれる。

二〇世紀前半の歴史に学びたい。日本は国際秩序の動向を完全に読み誤り、利害を共有しうる海洋国家の米英と決別し、敵対した。逆に、地政学的な環境を異にするドイツやロシアという大陸国家に接近し、その野心と思惑に振り回され、幻惑され、墓穴を掘った。

換言すれば、日英同盟を失ったとき、近代日本は大きく道を誤ったのだ。米英の現状維持勢力との絆をなくした日本は、激動するヨーロッパをはじめとする世界の情勢を読み誤り、流転の末に現状を変更する大陸勢力に取り込まれた。そして世界秩序に対する危険な挑戦勢力の一員となり、破滅への道を辿った。

中国とロシアという大陸国家が覇権主義的な膨張を試みる現代、この誤りを、決して繰り返してはならない。

チェルノブイリ原発事故に匹敵する中国の隠蔽

二〇二〇年六月の時点で四万人強と、ヨーロッパ最大の死者数を出した新型コロナウイルスの感染拡大は、イギリスの対中姿勢を一変させた。武漢からウイルスを発生させながら、それを中国は隠蔽し、世界に感染を拡大させた。真実を封印して嘘をつき続ける不誠実な対応に、イギリス人は不信感を強めた。

「中国政府は、ウイルス発生源の特定や、発生の初期段階で何が起きたかの調査について、国際協力を拒んだ。現在も真相を隠し続けている」――イギリス最後の香港総督だったクリス・

パッテン卿は、中国のコロナ禍における不適切な対応に疑念を抱く。

情報機関の調査では、中国の感染者数や死者数は、公式発表の何十倍に上る。ウイルスの存在にいち早く警鐘を鳴らした医師の声を封印し、「人から人への感染はない」と虚偽情報を流布し、「不都合な真実」を隠蔽し続ける共産党独裁の特殊性に、イギリス人は違和感を覚えている。そのため、デイリー・メール紙が二〇二〇年四月一七日に実施した世論調査で、英国民の五六％が中国に感染拡大の責任があると答え、五四％が「武漢ウイルス」と呼ぶべきだと答えたのも当然だろう。

歴史を繙けば、強権国家の隠蔽体質が惨事を招いた例は枚挙に遑がない。中国も独立調査を拒み続けた。キャメロン内閣で親中政策を主導したジョージ・オズボーン財務相の特別顧問だったニール・オブライエン議員は、「インパクトはチェルノブイリ原発事故に匹敵する」と指摘する。

強権的な監視によって自国がコロナ禍を乗り切れば、その後は救世主として世界に医薬品や医師を送る「マスク外交」を展開した中国。しかし品質管理システムがないため、輸出したマスクや検査キットの多くは、基準を満たさない欠陥品だった。「影響力を拡大する地政学的野心を隠すための策略だ」（EUのジョセップ・ボレル外相）との批判が高まった。

中国は、世界各国にある自国の大使館を通じ、ビッグデータを活用した監視によって感染を封じた権威主義が民主主義より優位であると喧伝するプロパガンダを発信した。SNSを使って「欧米にウイルスの起源がある」という偽情報を拡散させて、世界を攪乱した。さらには発生源の独立調査を求めたオーストラリアに対し、関税などで報復措置を取る強圧的な「戦狼外交」を行った。

こうしたことを目前にして、全体主義の専制国家・中国の危険性に気づき、ジョンソン首相などヨーロッパ首脳は、「詫びるどころか恩に着せる」異形の本性も見た。中国への怒りは、拭い去り難いものになったのだ。

中国を参加させた原子力事業の結末

そもそも、西欧で最初に中国共産党を承認したのは、イギリスだった。中華人民共和国の建国から三ヵ月後の一九五〇年一月、当時のクレメント・アトリー首相が決断している。

アトリーは労働党党首として一九四〇年のチャーチル戦時内閣に副首相として入閣。一九四五年五月、ドイツの降伏に伴って連立を解消し、同年七月の総選挙ではチャーチルの保守党に圧勝、労働党から二人目の首相となった。

イギリスと中国の関係が接近したのは、デービッド・キャメロン政権時代（二〇一〇～二〇一六年）である。リーマンショック後の財政赤字改善策として緊縮財政政策を打ったため、経済発展のカギを対中関係に置いた。このときの中国からの巨額な投資が、国家財政を支えたといえる。

ベルリンの研究機関「メルカトル中国研究センター」によると、二〇〇〇年から二〇一九年までに中国がヨーロッパ各国に行った直接投資は、対イギリス五〇三億ユーロ（約六兆二九〇〇億円）、対ドイツ二二七億ユーロ（約二兆八四〇〇億円）、対イタリア一五九億ユーロ（一兆九九〇〇億円）となり、対イギリスが最も多い。

キャメロン首相は二〇一三年に訪中し、多額の投資を呼び込む巨額ビジネスの契約を結んだ。その見返りだろうか。二〇一四年の李克強（りこくきょう）首相の訪英では、エリザベス女王との面会を実現させた。しかし英王室のプロトコールでは、女王が面会するのは、原則として国家元首に限られている。中国との経済関係拡大を優先し、その強引な圧力に屈したと判断されても仕方ないだろう。

キャメロン政権時代、「イギリスが中国の西側における最高のパートナーになる」と対中融和策を主導したのは、オズボーン財務相だった。オズボーン氏は親子三代にわたって中国と縁を持ち、母親は大学で中国語を学び、一九七〇年代に中国で過ごした経験がある。さらに自分自身も中国語を学び、バックパッカーとして中国、香港、シンガポールで過ごし、娘も中国語を勉強した。そして中国との「接着剤」となったのが、ファーウェイだった。

当然のようにオズボーン氏は親中派であり、人民元のオフショア市場としてシティを開放した。すると、二〇一五年に訪英した習近平（しゅうきんぺい）国家主席とキャメロン首相が四〇〇億ポンド（五兆六〇〇〇億円）の投資契約を結び、「英中黄金時代」と自賛したのだ。

二〇一三年には、中国広核集団（CGN）が三三・五％出資するフランス電力（EDF）との合弁で、イギリス最大の電力事業、サマセット州のヒンクリーポイントC原子力発電所の建設計画が発表された。また、中国主導のアジアインフラ投資銀行（AIIB）には、主要七ヵ国（G7）で最初に参加した。

国家の根幹に関わる原子力事業に中国を参加させたため、保守派からは、「経済のためにイギリスのプライドを捨てた」と、政権に批判が集まった。

このキャメロン政権を後継したメイ政権は、行き過ぎた中国接近の関係を見直した。CGNがアメリカの原子炉技術に関する機密情報を違法に持ち出していたことが判明したため、計画を最終承認しながら、英政府がCGNによる権益売却を阻止できる条件を付けて、一定の歯止めをかけた。しかし経済界では、中国マネーに依存する傾向が続いた。

志半ばで倒れたメイ首相を継いだジョンソン首相は、安全保障政策では中国に厳格な姿勢を堅持するが、経済政策では良好な関係を維持し、投資を引き込む構えだった。EU離脱後、減速が懸念されるイギリス経済立て直しに、中国マネーを充てたかったからだ。実際、二〇一九年一～八月に、中国企業に買収されたイギリス企業は一五社、買収価格は八三億ドル（約八七〇〇億円）にも及んだ。

二〇一六年にはヒンクリーポイント原子力発電所、二〇一七年にはサッカー日本代表主将・吉田麻也（よしだまや）選手が在籍していたイングランド・プレミアリーグのサウサンプトンFC、二〇一九年には破産した世界最初の旅行会社のトーマス・クック、さらにはイギリス二位の鉄鋼メーカーのブリティッシュ・スチールなど、経営が傾いた名立たるイギリスの著名企業が、中国資本となった。

イギリスは、近年、中国を大規模投資の「資金源」と捉え、香港や新疆ウイグル自治区などにおける人権弾圧、南シナ海での隣国圧迫、知的財産の窃取など、中国の悪行を直視せずに経済関係を優先させてきたのだ。

中国に警告したＭＩ５長官

ところが、世界を未曽有の危機に陥れた新型コロナウイルス感染症が中国・武漢で発症したことで、風向きが変わった。先述の通り死者数は四万人を超え、チャールズ皇太子やジョンソン首相、またマット・ハンコック保健相ら閣僚も感染した。とりわけジョンソン首相は一時、集中治療室（ＩＣＵ）で治療を受けるなど重症化し、生死を彷徨った。

英政府は、ジョンソン首相を筆頭に、新型コロナウイルスの感染情報を隠蔽した中国に怒りを募らせ、中国との関係の全面的な見直しを余儀なくされた。マイケル・ゴーブ内閣府担当相はＢＢＣの取材に対し、中国では二〇一九年一二月の段階で、最初の症例が確認されていたが、「中国政府は、感染症の規模や性質、感染力を明確にしなかった」と述べ、複数の英メディアに対して、「中国政府は感染情報を隠蔽した。このため、英政府が感染封じ込めに失敗した責任を取らねばならない」と批判した。政府関係者は口をそろえて、新型コロナウイルス感染症が収束すれば、「中国政府は報いを受けるだろう」と警告する。

コロナ禍では、中国が二〇五〇年までに科学技術で世界最強国を目指すための技術者招致プロジェクト「千人計画」も批判を浴びるようになった。アメリカのハーバード大学、イギリスのオックスフォード大学やケンブリッジ大学などの研究機関を、人民解放軍を含む中国人留学生が侵食していた。軍事転用可能なＡＩ（人工知能）など最先端技術を、リアルタイムで中国に流出させていることがクローズアップされたのだ。

アメリカからの指摘を曖昧にしたまま、中国との経済関係を優先させて具体的な行動を取らなかった英政府も、コロナ禍を契機に、本格的に疑惑を追及するようになった。大学における中国の先端技術窃取は、日本でも行われているとされる。こうした防諜の視点からも、日本は米英と協働すべきなのである。

二〇二〇年四月に英情報局保安部（ＭＩ５）長官に昇任したケン・マッカラム氏も、副長官時代にはサイバー犯罪やテロを担当したが、ガーディアン紙に「この一〇年間で中国によるサイバー空間でのハイテク技術の不正取得やスパイ行為が急増し、ロシアのスパイ行為やイスラム原理主義テロよりも国益を棄損しかねない」と警告している。そして、「最大の脅威は中国によるハイテク技術へのスパイ行為だ」として、監視対象を中国の産業スパイに移すと宣言した。

香港問題は世界秩序の分岐点

しかし、イギリスが中国と決別する決定打となったのは、香港で「国家安全法」が施行され、露骨な覇権主義が発動されたことだった。

新型コロナウイルスのパンデミック（世界的大流行）に乗じ、中国は、高度な自治が認められた香港で統制を強化するための国家安全法を制定し、民主化運動の息の根を止める暴挙に出た。返還後五〇年は「高度な自治権」を持つ「一国二制度」を保障することを定めた中英共同宣言や、市民的・政治的権利に関する国際規約を反故（ほご）にして、中国は香港市民の人権を踏みにじり始めた。

すると旧宗主国のメンツを潰されたイギリスの怒りは急速に高まり、全体主義の中国が情報隠蔽も弾圧も辞さない専制国家である危険性にも気づいた。こうして中国への不信と警戒感が広がっていったのだ。

「中国がレッドラインを越えて新独裁統治に乗り出した」――イギリスの政府系シンクタンク「ヘンリー・ジャクソン協会」アジア研究所長から、二〇一九年七月にアメリカ国防総省ダニエル・K・イノウエ・アジア太平洋安全保障研究センター准教授に転身したジョン・ヘミングス氏は、「中国は越えてはならない一線を越えた。これは民主主義への挑戦であり、世界秩序の分岐点だ」と指摘した。

香港が直面する危機は、二〇一九年三月に始まった。中国政府への犯罪人引き渡しを合法化する「逃亡犯条例」改正案に香港市民は反対し、普通選挙などの民主化要求を掲げ、市民二〇〇万人が立ち上がった。その波は、一九九七年の一国二制度発足以来、最大規模のものとなった。

このときは四人に一人の市民が街に出て、重大な危機に警告を発した。その警告では、アジアの未来についても懸念を訴えたが、中国の巨大市場が誘(いざな)う経済利益は魅力を持ち続け、香港経済界や諸外国からの批判の矛先(ほこさき)は鋭さを欠いた。条例改正案は撤回されたため、市民運動はひとまず矛を収めた。

しかし、コロナ禍の間隙を縫って制定した「国家安全法」は、香港における中国共産党の独裁統治を認める。人権は蹂躙(じゅうりん)され、自由と民主主義、そして法の支配は雲散霧消してしまう。国際的秩序を重んじるイギリスは「世界の民主主義の危機だ」と、ついに声を上げた。「北京(ペキン)が香港の息の根を止める決意をした。共同宣言を完全に破壊するのは、法の支配に対する共産主義の挑戦だ。不道徳かつ危険な中国は信頼できない」――パッテン卿は、怒りを露(あら)わにする。

パッテン卿が憂慮する共同宣言とは、一九九七年の香港返還に先立ち、イギリスと中国のあいだで交わされた合意文書である。実は、イギリスは、租借期限が終了する新界のみの返還を検討していた。しかし、イギリスの永久領土である香港島や九龍(カオルン)半島の返還をも求める鄧小(とうしょう)

平副主席に押され、マーガレット・サッチャー首相が「善意」で返還に応じた。そうイギリスは解釈している。

だから中国側から提示された「一国二制度」をもとに、香港では五〇年（二〇四七年まで）社会主義を施行せず、高度な自治権、立法権、独立した司法権を享受できるとした。そして、言論、集会、結社などの諸権利と自由を保障する資本主義制度を保持すると、共同宣言に明記したのだ。

しかも、この宣言は国際条約として国連に登録されている。法的拘束力のある「国際公約」とみなされてきたのだ。

ところが、中国は「宣言は中国側による政策提示であり、イギリスへの約束ではなく、国際的義務ではない」と反論し、二〇二〇年五月二八日の全国人民代表大会（全人代）で国家安全法の導入を決議した。これはイギリスの目から見ると、信義則に反する裏切り行為と映った。

イギリスには、「香港に自由と民主主義を根付かせたのはイギリスだ」との自負がある。それが北京の独善によって正面から破壊されたのだから、国家としてのプライドを引き裂かれた格好となった。

移民反対のイギリスで香港からの移民は歓迎

中国は二〇一六年、国際仲裁裁判所の判決で南シナ海における権益主張が退けられると、判決を「紙くず」と拒否し、国際秩序に背を向けた。国際公約を破り、混乱に乗じて強権的に覇権を広げるのは、同じ全体主義国家・ソ連と同様だ。

一九四五年八月、日本がポツダム宣言を受諾したあとも、満州（中国東北部）と千島列島に侵攻し続けたソ連。そのソ連の後継国家ロシアも、二〇〇八年と二〇一四年にジョージア（グルジア）とクリミアに侵攻した。その手法とも重なる。

北方領土をはじめ、クリミアやジョージアの一部では、ロシアが併合を既成事実化した。その現実を参考にして、二〇一八年三月の全人代でスターリンや毛沢東（もうたくとう）と同様の終身指導者の座を得た習近平国家主席は、香港にまで触手を伸ばし始めたのである。

「香港を失えば、中国がますます影響力を拡大する。欧米諸国は、これ以上中国に騙されてはいけない。イギリスは香港のために立ち上がるべき道義的、経済的、法的義務がある」

パッテン卿は、そう英政府に注文をつけた。

この忠告を受けてジョンソン首相は、二〇二〇年六月三日付の英タイムズ紙に寄稿し、香港住民約三〇〇万人に対し、「イギリスの市民権取得に道を拓く」と表明した。約七五〇万人の香港市民のうち、最大で四〇％近くを英政府が受け入れる、と宣言したのだ。ジョンソン首相は、「イギリスは良心に基づき放置することはできない」と断固たる姿勢を示し、香港の自治崩壊に備えて住民を受け入れる意思を示した。事実上の対抗措置を取ったのである。

ここで注目すべきは、移民増加に対する抵抗感が欧州連合（ＥＵ）からの離脱の原動力となったイギリスで、香港市民を移民として受け入れることで与野党が一致したことだ。新型コロナウイルスで四万人を超える犠牲者を出したイギリスで、中国不信が、いかに大きいかを示した事実だといえる。

「中国に法の支配はない。香港を中国化すれば、次は別のところで自由を奪う長期戦略だ」（マルコム・リフキンド元外相）、「第五世代移動通信システム（5G）から医療器具に至る幅広い分野での中国依存を脱し、対中関係を根本から『リセット』せよ」（ウィリアム・ヘイグ元外相）などと、対中強硬論が湧き起こった。

ただ、イギリスだけでは倨傲（きょごう）の大国・中国に立ち向かえない。パッテン卿は「イギリスが主導して主要七ヵ国（G7）で中国に立ち向かえ」と訴えた。そしてパッテン卿とリフキンド元外相は、「中英共同宣言違反である」として、中国非難の共同声明を作成した。すると、米英をはじめ日本を含む三六ヵ国、七二八人の政治家が署名したのだった。

イギリス与野党が対中包囲網を提案

さらには、保守党のヘイグ氏ら保守・労働両党の外相経験者七人が超党派で、英政府に対し「国際連携を構築して中国に圧力を加えるべきだ」とする書簡を送った。ヨーロッパのみならず日本などを含め、国際的に連携するグループを発足させ、中国が国際協調を破る際は即座に協力し、集約的な対応ができるよう発信したのだ。与野党が対中包囲網の形成を提案したのである。

こうしてイギリスは、アメリカ、オーストラリア、カナダとともに国家安全法に対して「深い懸念」を示す共同声明を発表した。ラーブ外相は、予想される香港からの移民を「ファイブ・アイズ」のアングロサクソン五ヵ国が受け入れることを検討する、と発表した。

するとオーストラリアは、同国内に滞在している香港市民のビザ（査証）を延長し、永住権取得にも道を拓き、香港との犯罪人引き渡し条約の停止を発表した。カナダも犯罪人引き渡し条約の停止と軍事物資の輸出凍結を打ち出した。またニュージーランドも犯罪人引き渡し条約を停止した。西側諸国のなかで、「ファイブ・アイズ」が結束して、中国に対する対抗措置で先頭を切ったのだ。

また、日本が主導してG7とEUの外相が連名で、六月一七日、「重大な懸念」を表明する共同声明を発表した。イギリスの対中姿勢の転換はドイツとフランスにも波及し、EUの欧州議会も、中国政府を国際司法裁判所に提訴することの検討や、対中制裁をEUと加盟国に求める決議を行った。

しかし中国は、「内政問題であり、外部の干渉は許されない」と耳を傾けず、香港独立から二三年に当たる二〇二〇年七月一日、国家安全法を施行した。中国共産党による香港支配を鮮明にしたのである。これに対し、日本とイギリスなど二七ヵ国は、国連人権理事会で再検討を求める声明を発表したが、中国は再考しない。

米英など「アングロスフィア（英語圏諸国）」に加え、ドイツ、フランス、インドや東南アジア諸国連合（ＡＳＥＡＮ）などでは、かつてないほど中国への警戒感が高まった。「対中包囲網」が構築されつつある。日本も米英と連携し、中国に圧力をかけ続けるべきだ。

ＭＩ６元長官が断言した中国の隠蔽

イギリスのマスメディアも、厳しい対中姿勢を取り続けている。

「コロナ禍で、いまや我々は中国を敵対的国家として扱わねばならない」――ジョンソン首相が在籍したデイリー・テレグラフ紙のコン・コフラン記者は、二〇二〇年四月一日付の同紙コラムで、「新型コロナウイルスを奇貨として中国を敵対的国家とみなせ」と訴えた。

コフラン記者は、「武漢での感染発生に対する中国共産党の透明性と協力が欠如した対応は、世界中の国々との根本的な信頼を侵害した」として、中国の情報隠蔽がパンデミックの原因だったと批判した。そして、被害者を演じる中国の無責任な対応が、「多くの人命が失われる危機を招き、第二次世界大戦以来最悪の世界不況を招いた」と指弾した。

加えて、「コロナ危機後、イギリスを含む西側諸国と中国共産党政府との関係については根本的な再考が必要である」と説き、「中国マネーに目がくらんだ親中政治家が抑圧的な中国共産党に接近したため、自動車部品の製造から医薬品に至る幅広い分野での中国依存を招き、国益に脅威を与えた」として、重要な産業の国内回帰を唱えた。

さらに、「これまでロシアがイギリスの安全に最大の脅威をもたらす国家だったが、経済と生命に甚大な被害をもたらした中国を、今後は同様に脅威として注意する必要がある」と、ロシアと同様に敵対的国家として中国に対峙すべきだと提言したのだった。

映画『００７』シリーズのジェームズ・ボンドが所属するイギリスの対外情報機関、秘密情報部（ＳＩＳ、通称ＭＩ６）の長官を二〇〇九年から二〇一四年まで務めたジョン・サワーズ氏も、ＢＢＣに対して、新型コロナウイルスの感染拡大の重大な情報を隠蔽していた中国政府の責任を追及すべきだと訴えた。

一方、アメリカのトランプ大統領は、新型コロナウイルス対応で中国寄りと見られる姿勢を続ける世界保健機関（ＷＨＯ）に対して不満の意を表し、資金の拠出を停止する意向を示した。さらにＷＨＯが新型コロナウイルスに関する中国の「偽情報」を助長したことが感染拡大につながった可能性が高いと指摘した。

これを受けてサワーズ元長官は、「ＷＨＯではなく中国の責任を問うべきだ」と主張し、「我々（西側）全員が中国の虚偽情報によって損害を被る一方で、当の中国はウイルスを発生させた事実や発生初期対応を怠ったことについて当然負うべき責任から逃れている」と中国政府を批判した。そして、「他国や当事者が隠蔽している情報を入手するのが情報機関の仕事であり、一二月と一月の短期間に、ウイルスが確実に発生しながらも、中国がその事実を隠蔽していることを我々は突き止めている」と語った。

「英中関係は以前と同じに戻ることはできない」

「真珠湾攻撃よりも、アメリカ同時多発テロよりもひどい」――中国共産党の隠蔽体質が世界規模の感染拡大を招いたのだと激怒したトランプ大統領は、中国に制裁措置を取った。

アメリカ商務省は、二〇二〇年五月、中国のファーウェイ社に対し、アメリカの製造装置で造られた半導体チップの使用を事実上禁止する新規則を発表した。ファーウェイの事業継続をほぼ不可能にしたのだ。そして三〇以上の中国企業を、アメリカの技術が輸出禁止にされる企業としてリストアップ。香港の国家安全法導入が決まると、アメリカが香港に認めてきた関税や渡航面での優遇措置も廃止した。

中国が自国企業にだけ有利な経済制度を固持しているところに、問題の本質がある。多くの国で広く認められている企業株式の買収は、世界第二位の経済大国では、外国企業にだけは認められていない。さらに中国当局は、自国へ投資する外国企業に技術の開示を義務づけ、知的財産を奪ってきた。その一方で、自国の戦略企業には多額の補助金を出す。

米中貿易戦争は、こうした不公平が解消されるまで、終わらないだろう。二〇一三年から中国と投資協定を交渉するEUも、その不公平を指弾している。

「中国はルビコン川を渡り香港の自由を侵害し始めた」――イギリスのラーブ外相は香港問題で激しく反発し、「コロナ禍後の英中関係は以前と同じに戻ることはできない」と、対中関係の見直しを宣言した。そして、コロナ禍の原因について国際的独立調査を行い、中国の責任を追及する方針を述べた。

そしてジョンソン首相は、医療品などの調達で、中国に依存したサプライチェーンを大幅に見直し、多様化する声明を出した。また英外交シンクタンク「ヘンリー・ジャクソン協会」は、イギリスは戦略的に重要な七一製品を中国輸入に依存しており、「ファイブ・アイズ」で連携・補完しながら中国依存を解消すべきだと提言。五ヵ国で三一九製品を、中国から自国に取り戻すよう提案した。

EUから抜けたイギリスは、ヨーロッパ以外の各国と自由貿易協定（FTA）を目指して通商交渉を始めたが、日EU経済連携協定（EPA）をベースに日本とのEPAを最初に締結した。その先に環太平洋経済連携協定（TPP11）入りを見据える。ベトナムなど、サプライチェーンの移転先候補国があるからだ。日本と協力しながらTPP11を活用して「脱中国」を進める。

中国依存のサプライチェーンの見直しは、日本にとっても急務だ。政府は、企業が中国拠点を国内に回帰させるか、第三国への移転を後押しする費用として、総額二四三五億円を緊急経済対策に盛り込んだ。

付加価値の高い戦略産業については、その生産拠点を国内に回帰させ、イギリスをはじめ「ファイブ・アイズ」と連携して多元化すべきだ。中国に依存していたレアアース（希土類）

の調達先を、フランスやベトナムなどに広げ、アメリカやEUと連携して独占体制を切り崩した経験を生かしたい。

グーグル元CEOの「ファーウェイを通じた情報流出はあった」

イギリスが中国依存から脱却し、ファーウェイ導入問題では、二〇二七年までに完全排除することを決めたのは画期的だ。ファーウェイ機器を通じて中国政府がスパイ活動やサイバー攻撃を行う安全保障上の懸念から、アメリカは同盟各国に同社製品の排除を要請した。

しかし、携帯電話各社が約一五年前から同社製品を導入しているイギリスでは、現行規格「4G」基地局でファーウェイ機器の使用が浸透している。5Gで全面排除すると、コスト高や整備の遅れを招く恐れがあり、メイ政権時代から苦渋の選択を迫られていた。

二〇一九年には、一部採用を認めるとする国家安全保障会議（NSC）の決定に反発して情報を漏洩（ろうえい）したとして、ギャビン・ウィリアムソン国防相が解任された。この直後、産経新聞ロンドン支局長だった筆者が、「ナンバー10（英首相官邸）」の記者会見でファーウェイ排除について質問すると、広報担当職員が「複雑な事情がある」と回答し、この職員から会見後、直ちに「即断できない困難な背景」と題する資料が大量にメールで送付されたこともあった。イギリスにとっては、この数年論争が繰り返された微妙な問題だったのである。

ジョンソン政権は、二〇二〇年一月、5Gにおけるファーウェイ機器の使用上限を三五％に抑える条件付きで容認する方針を示した。アメリカの圧力に抗し、中国側に寄り添ったとも解釈された。

ところが、ファーウェイ排除に固執するトランプ大統領や、保守党内のEU離脱を実現させたグループが「反中」に転じて、一斉に反発。その後のコロナ危機を経て、首相と側近の中国に対する態度が逆転した。

保守党では、EU離脱を主導した離脱強硬派のジェイコブ・リースモグ議員や、EU離脱担当相を務めたデービッド・デービス議員、そしてリアム・フォックス前国際貿易相らが、二〇二〇年三月、ファーウェイ機器の5G採用に反対して、二〇二二年一二月末でファーウェイを排除する修正案を下院に提出した。同案は否決されたが、このときは採決で保守党から三八人が造反する「身内の反乱」が起きたことが響いた。

また、トム・トゥーゲントハット下院外交委員会委員長は、EUからの離脱を実現させた「ヨーロッパ研究グループ」に倣(なら)って「中国研究グループ」を立ち上げ、ファーウェイのみならず、医療品から原発などの重要インフラまで幅広い分野で、中国依存を見直すよう求めている。首相の上級顧問で「イギリスのラスプーチン」といわれるドミニク・カミングス氏も「中国政策は変更せざるをえない」と明言し、グーグルのエリック・シュミット元最高経営責任者（CEO）は、BBCで、「ファーウェイを通じた中国への情報流出はあったと確信する」と証言した。

中国のデジタル覇権から自由主義諸国を守る決断

二〇二〇年七月一四日、英政府は国家安全保障会議を開催し、5G通信網におけるファーウェイの限定的な使用方針を転換し、二〇二七年までに完全に排除することを決めた。二〇二一年以降はファーウェイ製品の新規購入も禁止する。

これに先立ちジョンソン首相は、「潜在的敵対的国家（中国）の企業に重要インフラを支配されたくない」と発言した。中国を潜在的な敵対的国家とみなし、ファーウェイを完全排除することで、中国と決別する考えを示したのだ。前出のヘミングス准教授は筆者の電話取材に対し、「ジョンソン首相自身が排除を決断した」と言い切った。

英政府は、ファーウェイ機器を、早ければ二〇二〇年から二〇二七年までに段階的に排除する。第二次世界大戦中にナチス・ドイツの暗号「エニグマ」を解読した「政府通信本部（GCHQ）」の傘下にある国家サイバーセキュリティセンター（NCSC）が、「五月のアメリカの追加制裁でファーウェイの供給網が不確実になり、セキュリティの安全性を保つことが難しくなった」と判断したためだ。

ただ、イギリスを含むヨーロッパ各国の通信網には、すでに安価で性能の良いファーウェイ機器が普及し、排除には多大なコストが生じる。「5G展開が二～三年遅れ、最大二〇億ポンド（約二八〇〇億円）のコスト増になる」（オリバー・ダウデン英デジタル・文化・メディア・スポーツ相）とされる。

ロンドン市長時代、ロンドンと北京の相互協定を締結し、外相時代に「イギリスは親中だ」と発言したジョンソン首相は、ＥＵ離脱後、イギリス経済の先行きが見通せないなかで、中国との関係を優先する意向だった。しかし、経済コストをかけてまで、中国と決別する決断に踏み切った。

「一国二制度」で中国と合意した当事者のイギリスにとって、国家安全法制定は、許容範囲を超えたのだ。この決断は、全体主義の中国が追求するデジタル覇権から自由主義の国々を守ることにつながると歓迎したい。

「日の丸５Ｇ」に期待するイギリス

イギリスが決断するまでに、アメリカ、日本、オーストラリア、台湾などが、５Ｇからファーウェイを排除することを決めている。イギリスが加わることで、この流れが加速することが期待される。ヘミングス准教授も、「イギリスが排除の決断を下したことは大きい。通信ネットワークをめぐる世界の覇権争いの流れを変える『分水嶺（ぶんすいれい）』になる」と評価する。

すると、イギリスに続きカナダの通信大手二社が、５Ｇではスウェーデンのエリクソンとフィンランドのノキアと組むと発表した。ドイツでは政権内で方針がなかなかまとまらず、ドイツテレコムが排除に反対の表明をしたが、通信会社テレフォニカ・ジャーマニーもエリクソン製品の採用を決めたほか、ＥＵ各国も見直しに動き始めた。

フランスはイギリスの決定に追随して、二〇二八年までにファーウェイの機器を5Ｇから排除することを決めた。フランス国内で計画されているファーウェイの5Ｇ工場の建設を白紙に戻す検討も始まった。ポーランドも排除を決め、イタリアも事実上、排除に向かっている。

また、ヒマラヤ山中の国境係争地で中国軍と衝突して二〇人の死者を出したインドも使用禁止を決定し、韓国も排除を議論しているという。

ファーウェイ採用をめぐる欧米の分断状況は、アメリカの同盟国軽視が招いた側面もあるだろう。ドイツのアンゲラ・メルケル首相らヨーロッパ首脳には、北大西洋条約機構（ＮＡＴＯ）で防衛費増額を求めて対決姿勢を強めるトランプ政権への強い不信がある。しかし、ファーウェイなどの技術を活用してヨーロッパの重要インフラを構築すれば、やがて中国の世界覇権を許す。機密情報が漏洩しても、中国に逆らえなくなる。普遍的価値を共有するイギリスをはじめ日本を含む西側自由主義の国々は、対中政策で意見をすり合わせ、結束を守るべきだ。

英政府は、当面は、スウェーデンのエリクソンやフィンランドのノキアの機器を代替で使用する見通しだが、価格が高いのが難点となる。そこでジョンソン政権は、主要七ヵ国（Ｇ７）にオーストラリア、韓国、インドを加えた先進民主主義国家一〇ヵ国の新たな枠組み「Ｄ10」を結成し、ファーウェイに価格や品質で対抗できる、競争力のある5Ｇ網構築の模索を始めた。

英調査会社「オムディア」によると、二〇一九年の通信基地局のシェアは、ファーウェイが三四・四％で第一位。価格がエリクソンやノキアなど同業に比べて約二～三割安価なうえ、多額の研究開発費をかけて開発しているため、性能も評価されている。

ロイターによると、英政府は、ファーウェイに代わる5G調達先として、日本のNECと韓国のサムスン電子と協議しているという。市場シェアは小さいながら、関連技術を持つNEC製品などを採用したい考えだ。英首相官邸筋は、「メイド・イン・ジャパン、日本の高い技術に期待している」と述べている。

ファーウェイ排除を求めて圧力を強めていたアメリカのマイク・ポンペオ国務長官は、「イギリスと協力して安全で活力ある5G供給網を育成していく」との声明を発表。「民主主義諸国のあいだに安全な5Gを支持する気運が高まっている」と述べ、NECやNTT、そして韓国、インド、オーストラリアの通信大手の名前を挙げて、「クリーンな会社だ」と指摘した。そして、国際的な連携のもとでファーウェイの封じ込めを進める構えを強調した。

二〇二〇年七月一四日にファーウェイの完全排除を発表した英政府関係者は、同一六日に東京で、日本の国家安全保障局（NSS）や内閣サイバーセキュリティセンター、そして関係各省の担当者と会合を開き、日本政府に対し5Gの通信網づくりで協力を求めた。

このとき英政府は、NECや富士通がファーウェイに代わる調達先となる可能性に言及し、両社の技術やコストの競争力を高める支援を要望した。すると日本政府も、日英企業間で協力を深めていく必要がある旨を述べ、「脱ファーウェイ」で連携することになった。

これを受けてＮＥＣは、六月二五日、ＮＴＴと資本業務提携を結んだ。５Ｇの通信設備の共同開発に乗り出したのだ。

一方、経済産業省は、二〇二三年度の実用化を目指して、七〇〇億円の支援策を発表した。日本にとっても、経済安全保障を図り、技術開発をめぐる国際競争に参戦する最後の機会になる。ファーウェイを凌駕（りょうが）する「日の丸５Ｇ」を開発して、サイバー空間の通信安全保障でイギリスと協調すべきだろう。

駐英中国大使の恫喝に対しイギリスは

こうした「脱ファーウェイ」の動きに対して、イギリスをヨーロッパ戦略の拠点と位置づけるファーウェイは、二〇二〇年六月初め、英各紙に全面広告を打った。「イギリスのネットワーク整備に貢献してきた。５Ｇ導入中断は、害を及ぼす」と反論したのだ。そして、一〇億ポンド（約一四〇〇億円）を投資して、ケンブリッジに研究と製造の拠点を建設すると発表した。

さらに、二〇一四年、前年末に靖国神社を参拝した安倍晋三首相を、人気映画『ハリー・ポッター』の闇の魔法使い「ヴォルデモート卿」になぞらえ、「日本が軍国主義を復活させた」と痛烈に批判した劉暁明（りゅうぎょうめい）駐英大使は、英政府が「ファーウェイ排除を決め、我々を敵対的国家にするなら、報いを受けるだろう」と反撃した。そして、イギリス国内の原発と高速鉄道建設計画から中国企業が撤退する可能性もほのめかし、経済を「人質」にして圧力をかけた。

中国外務省も、二〇二〇年七月一五日の記者会見で、「イギリスは証拠も示さず、アメリカと協力して中国企業を排除している。中国企業の正当な権利を守るため、必要なあらゆる手段を講じる」と報復を示唆(しさ)した。

しかし英政府は、「原発も高速鉄道も中国抜きで推進する。コロナ禍を機にＡＩＩＢも白紙に戻す覚悟がある」(首相官邸筋)と、中国の「恫喝(どうかつ)」に屈しない方針だ。

また、フィナンシャル・タイムズ紙のライオネル・バーバー前編集長は、コラムで以下のように指摘した。

「トランプ大統領が同盟国に、米中貿易戦争での立場を明確にするように求め、中国政府が香港を締め付けたことで、英中関係が冷え込んだ。新型コロナウイルス感染拡大は、冷え込みをさらに強めた」

そして、「脱中国」に舵を切ったイギリスは「中国との『黄金時代』に幕を閉じた」と分析する。

パンデミックと香港問題を経て、分断されていた欧米は、再び結束し始めた。オーストラリアとインドも軍事協力関係を結び、対中強硬路線で一致した。中立政策を採るスウェーデンや永世中立国のスイスも中国と距離を置く。

このように構築され始めた対中包囲網について、パッテン卿は、こう言い切った。

「中国に粘り強く国際協調を働きかけ、ルールに従わせることで、発展的な自壊を待とう。歴史上あらゆる独裁体制は、より良い政治体制に取って代わられる。新型コロナウイルスの収束後、中国がこれまでのような日常を謳歌(おうか)できると信じる人は、ほとんどいないだろう」

孔子学院をすべて閉鎖したスウェーデン

コロナ禍の「震源地」であるにもかかわらず、混乱に乗じて暴走する中国への不信感は、イギリスのみならずヨーロッパ中で急速に広がった。

二〇一九年三月に習近平国家主席が訪仏、四〇〇億ユーロ（約五兆円）の受注契約を締結したフランスもエマニュエル・マクロン大統領が、二〇二〇年四月中旬、フィナンシャル・タイムズ紙に「中国がこれ（新型コロナウイルスの流行）にうまく対処していると、バカ正直にいってはいけない」と述べ、中国政府の責任を明確に指摘した。

フォルクスワーゲンの世界販売台数のうち、約四割を中国が占めるが、ドイツのメルケル首相も中国の透明性に苦言を呈した。二〇二〇年四月二〇日の会見で「中国がウイルス発生源に関する情報をもっと開示していたら、世界のすべての人々が学ぶうえで、より良い結果になっていた」と述べ、初めてコロナ禍における中国の対応に疑問を呈した。

またドイツの最大手紙「ビルト」が四月中旬、中国に賠償総額一六五〇億ドル（約一七兆三三〇〇億円）を請求すべきだとの社説を掲載すると、中国政府関係者が反論を投稿、同紙が再反論する言論戦が繰り広げられた。

さらに、同じくドイツの「ビジネス・インサイダー」は、「いま我々は、アメリカか中国か、いずれかを選ぶ根本的な政治的決断に迫られている。両方に付くことはできないヨーロッパは、アメリカの側に立って中国に立ち向かうしか選択肢はない」と報じた。

加えて、北欧の中立主義の国、スウェーデンでは、中部ダーラナ地方などの自治体が、武漢など中国との姉妹都市関係を打ち切るケースが相次ぐ。中国の、スウェーデン政府やジャーナリストへの威圧的態度が原因だ。中国政府が出資する孔子学院もすべて閉鎖した。

またアパレル大手「H&M」は、二〇二〇年九月一五日、中国の新疆（しんきょう）ウイグル自治区で少数民族のウイグル族を強制労働させていたと指摘された中国企業から、製品の供給を停止すると発表した。

金融を通じて中国との関係が深かったヨーロッパの永世中立国、スイスも、議会が「首尾一貫した対中戦略がなければ、中国政府から自国の利益と価値観は守れない」として、対中戦略の見直しを要求した。スイスではこのような声が噴出しており、やはり中国から距離を置き始めた。

こうした中国を警戒する動きを受けて、EUの欧州議会も、中国による香港の国家安全法の制定に対して批判決議を行った。そしてEUと加盟国に、中国政府を国際司法裁判所に提訴することや、経済制裁を科すことを求めた。

イギリスの政府系シンクタンク「ヘンリー・ジャクソン協会」も、二〇二〇年四月、中国政府が世界保健機関（ＷＨＯ）に十分な情報を開示しなかったことは「国際保健規則」に反している点で中国政府の責任を指摘した。そして「中国に補償金の請求を求めるべきだ」とする政策を提言した。ここでは主要七ヵ国（Ｇ７）の損害額は最低四兆ドル（約四二〇兆円）と試算した。

また同協会は、中国にその補償金を支払わせる方法も提言した。中国政府や国有企業が保有する英政府の各種債券や、イギリス側の対中債務から取り立てる、というものである。

パンデミック封じ込めに四苦八苦するうち、気づけば中国企業が先端企業の買収攻勢を仕掛けてきた。コロナ危機でヨーロッパ企業の株価が下落したためだ。当然、ヨーロッパ各国は、防衛に乗り出した。

英デイリー・エクスプレス紙によると、ＭＩ６とＭＩ５は、イギリスのインテリジェンスと先端産業を保護する安全保障の観点から、戦略的産業が中国資本に呑み込まれないよう国家が管理すべきだと訴えた。

またドイツ政府は、二〇二〇年四月上旬、ＥＵ域外企業がドイツ企業を買収しようとした場合、「ドイツの利益を阻害する恐れがある」とみなせば、それを阻止できる規制を承認した。医薬品、エネルギー、デジタル産業も、安全保障上、重要であるとした。

イタリア政府も、銀行、保険、エネルギーなどの分野で海外企業が一〇％以上の株式を取得しようとする際には、政府の承認を求めることとした。

そして、スペインも新規則を導入。戦略的業種に指定された企業の経営権や一〇％を超える株式をＥＵ域外投資家が取得する場合、新たに承認を義務づけた。

ロシアだけでなく中国にも対抗するＮＡＴＯ

旧ソ連とロシアの脅威に対抗することを主眼としていた北大西洋条約機構（ＮＡＴＯ）が初めて中国の脅威を本格議論したのは、新型コロナウイルスが感染拡大する直前の二〇一九年一二月、創設七〇年を記念してロンドンで開催された首脳会議でのことだった。

「北極圏やアフリカで中国を見かけるようになった。ヨーロッパのインフラに対する莫大な投資やサイバー空間でも中国が目に付く。中国が間近に来ているという事実を考慮しなければならない」

イェンス・ストルテンベルグ事務総長は、ＮＡＴＯで中国の脅威を議論する意義を強調、「一帯一路」の到着点であるヨーロッパに触手を伸ばす中国に警戒感を示した。

それに先立つ二〇一九年一一月、中国の習近平国家主席はギリシャを公式訪問し、同国最大のピレウス港への投資促進などを含む覚書に署名した。Ｇ７では、すでにイタリアが同年三月、「一帯一路」推進に関する覚書を締結していた。ポルトガルなどＥＵ加盟国の半数以上が

「一帯一路」に関する協力文書に署名したのだ。

中国を戦略的競合国と位置づけるアメリカのトランプ大統領は、ＮＡＴＯがロシアの脅威に対してだけではなく、中国に対しても向き合うことを歓迎した。「ＮＡＴＯは変化している。このように柔軟なＮＡＴＯのファンになった」と語り、対中国に連携して当たることに期待感を示した。

首脳宣言では、ロシアを「安全保障上の脅威」と改めて指摘し、中国についても「増大する影響力と国際政策に対しＮＡＴＯとして共同で取り組む必要がある」と明記され、採択された。

「ＮＡＴＯは脳死状態」――このようにフランスのマクロン大統領が発言するなど、加盟国間の亀裂が表面化するなか、巨大化して覇権主義に走る中国に対しては一致した取り組みが必要であるとしたのだ。

新型コロナウイルスの発生源をめぐっては、中国とロシアが、「ウイルス感染は、中国ではなく、ヨーロッパやアメリカから始まった」という偽情報を、ＳＮＳを通じて世界で拡散させた。こうした情報工作に対して、ＮＡＴＯは二〇二〇年四月一五日、国防相理事会をテレビ会議で開いた。

このときストルテンベルグ事務総長は、「国家や非国家主体が虚偽で有害な話を広め、我々を分断しようとしている」として、中国やロシアによる偽情報やプロパガンダ（政治宣伝）に警戒を強めた。そして、こうした偽情報の特定や監視のために緊密に協力することを決めたのだ。

さらにNATO米代表部のケイ・ハッチソン大使は、ウイルス感染がヨーロッパやアメリカから始まったと中国とロシアが発信する偽情報工作について、軍事力と非軍事力を組み合わせたハイブリッド戦争の一部だと強調した。そして、人類が協調して新型コロナウイルスの封じ込めに取り組むべきところを、西側民主主義国家を分断させようと「戦争」を仕掛ける中国とロシアに対しては、加盟国が団結して対応する必要性を説いた。

アジア安保における最大のパートナーは日本

しかし、中国とロシアの「挑発」に対応すべくNATOと米軍が行う軍事演習が、新型コロナウイルスの集団感染を防ぐために中止や縮小されたのは残念だ。新型コロナウイルスの流行によって即応態勢が揺らげば、中国とロシアに付け入る隙を与えかねない。

二〇二〇年四月には、東欧において冷戦後最大の規模で展開する演習「ディフェンダー・ヨーロッパ二〇」が、実質的に中断された。米本土から米軍二個師団、約二万人の兵士が、戦車などの装備とともに大西洋を渡って参加する予定だったが、六〇〇〇人程度に減らして行われた。

また、欧米諸国で計画していた北極海での演習「コールド・レスポンス」も中止。アメリカとアフリカ諸国などによるイスラム過激派組織などを想定した演習も中止になった。

この時期、米軍は、一一隻の空母のうち四隻から新型コロナウイルス感染者を出して、航海を中断していた。「パンデミックの混乱が続けば、これに乗じて東欧などで威嚇行動を取る可能性があり、注視している」――北大西洋条約機構（ＮＡＴＯ）連合軍のトッド・ウォルターズ最高司令官は警戒感を示し、マーク・エスパー米国防長官も、「この規模のパンデミックが続けば即応力に影響する可能性がある」と、危機感を露わにした。

アジアでも、太平洋に展開中の米海軍の原子力空母「セオドア・ルーズベルト」で集団感染が明らかになり、米軍の海外展開に影響を及ぼすなか、中国は南シナ海の軍事支配の強化をもくろむ。西沙（英語名パラセル）諸島周辺では、中国海警局の船がベトナム漁船に体当たりして沈没させた。空母「遼寧」は南シナ海で訓練を実施し、沖縄の南をかすめて太平洋に進出した。ロイターによると、中国自然資源省の調査船がマレーシアの国営石油会社が開発を行う海域に現れ、探査活動と見られる行動を取ったという。

中国は、二〇一二年、南シナ海の各諸島を管轄する自治体として海南省三沙市を設定し、実効支配の既成事実化を図っている。が、二〇二〇年四月、さらに同市の下に、西沙諸島を管轄する「西沙区」、南沙（英語名スプラトリー）諸島を管轄する「南沙区」という行政区を設置すると発表した。

アメリカ太平洋艦隊は、二〇二〇年四月二八日、南シナ海でミサイル駆逐艦「バリー」が西沙諸島付近を航行し、「航行の自由作戦」を実施した。しかし、新型コロナウイルス感染症が拡大していただけに、航行の自由作戦の回数も減らさざるをえなかった。

米軍は一九一八～一九一九年に、「スペイン風邪」と呼ばれるインフルエンザへの対応に失敗した苦い経験がある。第一次世界大戦中の一九一八年春頃には、約一二〇万人の米兵のうち一割が入院し、最終的には約四万五〇〇〇人の米兵が命を落とした。そして、第一次世界大戦中に米兵がヨーロッパとのあいだを往来したことが、感染拡大に拍車をかけた。二〇二〇年のコロナ禍も、ヨーロッパの安全保障に暗い影を落とした。

こうしたなかで、NATOの主要国であるイギリスは、ヨーロッパの安全保障を主導するとともに、「アジアの安全保障における最大のパートナー」として日本を指名した。アメリカが行っている「航行の自由作戦」に参加するなど、「ルールに基づく国際秩序」を日本とともに守る。こうして国際社会での存在感を発揮することを目指しているのである。

第2章　ファイブ・アイズに招かれる日本

南シナ海で日米英合同の演習を

「日英同盟」復活は、旧日本海軍が英海軍を手本にしたように、歴史的つながりが深い海上自衛隊と英海軍が牽引している。二〇一五年二月、横須賀の海上自衛隊自衛艦隊司令部に、英海軍から連絡士官、サイモン・ステイリー中佐（現大佐、駐日英大使館国防武官）が派遣され、常駐するようになった。さらに、ソマリア沖で海賊対策に当たっている多国籍海軍部隊の司令官に海上自衛隊の海将補が着任する際、英海軍から補佐役として参謀長が派遣されるようになった。いずれも日英同盟以来、九二年ぶりのことだ。

ステイリー氏は、同じ横須賀に本拠を置く米海軍第七艦隊の連絡士官も兼務した。つまり、日米英三国の海軍が連携して共同行動を始めたのだ。この三国連携が基本となり、二〇一九年三月、米海軍の指令下、日英と連携して、東シナ海公海上で、初めて北朝鮮籍のタンカーの「瀬取り」を摘発した。このことは、あとで詳しく書きたい。

自衛隊と英軍のあいだでは、物品役務相互提供協定（ＡＣＳＡ）や情報保護協定が締結され、メイ首相の訪日以降、海上自衛隊と英海軍、陸上自衛隊と英陸軍、航空自衛隊と英空軍が、共同訓練や共同演習を行っている。また英艦船の日本寄港など、防衛協力も進んでいる。

二〇一六年一〇月には、英空軍の戦闘機「ユーロファイター・タイフーン」の部隊が日本の三沢基地に飛来し、航空自衛隊と共同訓練を行った。アメリカ以外の空軍戦闘機部隊が日本で共同訓練をするのは初めてだ。一方、陸上自衛隊富士学校のレンジャーは、イギリスのウェールズの基地で、英陸軍と米海兵隊の部隊と偵察活動の共同訓練を実施した。

また二〇一七年五月には、日英が主導して、陸上自衛隊、英陸軍、米海兵隊、仏海軍が参加した日米英仏の合同演習が初めて実施された。

そして、二〇一八年四月には英海軍フリゲート艦「サザーランド」が、同八月には揚陸艦「アルビオン」が日本に寄港。一〇月には英陸軍の精鋭部隊が、富士山麓の自衛隊演習場で陸上自衛隊との初めての共同演習を行った。同年一二月にはフリゲート艦「アーガイル」が入港したあと、中国の海洋進出が懸念される南シナ海に向かった。そして海上自衛隊と米海軍が参加して、日米英合同の対潜水艦演習が行われた。さらに二〇一九年三月、フリゲート艦「モントローズ」が寄港した。

最新鋭空母「クイーン・エリザベス」を太平洋に

こうした流れを受けて、ギャビン・ウィリアムソン国防相は、二〇一八年六月にシンガポールで開かれたアジア太平洋地域の安全保障会議で演説した。そのなかで、イギリスは海軍艦艇をアジア太平洋地域に派遣し、海における「ルールに基づくシステム」を強力に支持し、「ルールを守れない場合には、それなりの結果が伴うことを明確にする」と述べた。念頭にあるのは、南シナ海で勢力を拡大する中国だった。

空母「クイーン・エリザベス」

さらにウィリアムソン氏は、二〇一九年二月、ロンドンの英王立防衛安全保障研究所（RUSI）でも講演を行い、二〇二一年に予定されている最新鋭空母「クイーン・エリザベス」の処女航海をアジア太平洋地域で行うと発表した。その際には、南シナ海にも進出する見込みだ。

二〇一七年に就役した「クイーン・エリザベス」は、満載排水量約六万五〇〇〇トン、全長約二八〇メートルで、英海軍史上最大級の船。ウィリアムソン氏は、中国とロシアを念頭に「国際法を軽視する国」に対処するため、最強の戦力である英海軍のフラッグシップ（旗艦）「クイーン・エリザベス」を用いると語った。そして、英海軍の旗艦空母派遣を通じて「ルールに基づく国際秩序を支えるために行動する」と強調し、シンガポールやカリブ海に海軍基地を設置することも明言した。

また外務省のマーク・フィールド閣外相（アジア太平洋担当）も、二〇一八年八月、訪問したインドネシアのジャカルタで講演し、「イギリスはアジアで恒久的な安全保障プレゼンスを維持する決意だ」として、南シナ海における航行の自由と国際法の尊重を訴えた。

英海軍では、二〇一八年九月、揚陸艦「アルビオン」が、中国が領有を主張する南シナ海の西沙諸島近海で「航行の自由作戦」を行った。旗艦となる「クイーン・エリザベス」のアジア太平洋地域への派遣は、中国による南シナ海の軍事基地化と海洋進出を許さないという、イギリスの強い意思表明となった。

イギリスの核の傘も日本に

日本では外国の海軍といえば、同盟関係にある米海軍という印象が強く、アジアから遠く離れた英海軍は一般に馴染み（なじ）が薄い。しかし英海軍は、アジア太平洋地域における部隊展開によって抑止効果を発揮することが戦略的目標となっている。特に二〇一八年から始まった「ほぼ恒久的なアジア太平洋駐留」は、新たな海軍および政府の方針となっている。

日本も、二〇一七年六月に実施した日ＡＳＥＡＮ乗艦協力プログラムで、空母型護衛艦「いずも」を南シナ海で航行させるなど、アジア太平洋地域の海洋安全保障における海上自衛隊のプレゼンス（影響力）の向上に努めている。

二〇一七年一二月、ロンドンで開催された日英外務・防衛閣僚会合（2プラス2）に出席した小野寺五典防衛相は、英海軍の招待を受けてポーツマスに向かい、外国の閣僚として初めて一週間前に就役したばかりの「クイーン・エリザベス」を視察、乗艦した。そしてイギリスに対し、「クイーン・エリザベス」のアジア太平洋派遣の際には、日本の「いずも」との共同演習を実施したいと要請した。

この共同演習が実現すれば、「日本の抑止力を高める」との期待がかかる。日本はアメリカの戦略核兵器などに安全保障を依存しているが、イギリスもまた戦略核兵器の保有国だ。「クイーン・エリザベス」に核兵器が搭載される可能性は低いが、他国から見れば、アメリカ以外の核の傘をイギリスが日本に提供するかのようにも見えるからだ。英海軍のアジア太平洋地域への進出は、日本の安全保障にとっても、たいへん重要である。

この日本側からのラブコールにイギリスは応じた。ファーウェイの完全排除を発表した二〇二〇年七月一四日付の英タイムズ紙は、二〇二一年初め、初の本格任務としてアジア太平洋地域に派遣される「クイーン・エリザベス」を中核とする空母打撃群が、日本の海上自衛隊と米海軍第七艦隊との日米合同軍事演習に参加し、アジア太平洋地域に常駐配備される計画が進められていると報じたのだ。これは英軍高官らの話をもとに伝えられたもので、コロナ禍に乗じて、香港、南シナ海、中印国境で活発な動きを見せる中国を牽制する狙いがある。

「クイーン・エリザベス」を中心とする空母打撃群は、最新鋭のステルス艦載機F35Bが二四機、二三型フリゲート艦が二隻、四五型駆逐艦が二隻、タンカーが二隻、原子力潜水艦が一隻で編成される。「クイーン・エリザベス」は二〇二〇年秋に訓練を終える予定で、二〇二一年早々にも処女航海としてアジア太平洋地域を目指す。英海軍は、二隻目の最新鋭空母「プリンス・オブ・ウェールズ」を建設中で、二〇二一年中には初の航海に出る。

また英タイムズ紙によると、英海軍の副提督で艦隊司令官のジェリー・キッド中将は、ロンドンにあるシンクタンク「国際戦略研究所」で講演し、「英海軍がインド太平洋地域に戻ってくる」と明言した。そして、「私たちの大望は、インド太平洋地域に完全に永続的な前線基地を持つことだ。空母打撃群が含まれるかもしれないし、そうでないかもしれない。いずれ分かる」と語り、「クイーン・エリザベス」を中心とする空母打撃群を、一時的派遣ではなく、インド太平洋地域に常駐配備させる可能性を示した。

さらに、「F35Bは同盟国のアメリカや日本のハブを通じて太平洋で作戦を維持する」と述べ、等しくF35B戦闘機の展開能力を持っているカナダやオーストラリアなど、太平洋にある「ファイブ・アイズ」諸国との連携も視野に入れていることも明らかにした。

新造した最新鋭空母二隻のうち「クイーン・エリザベス」が極東に常駐配備されるとすれば、英海軍のアジア重視を裏付ける形となるが、常駐場所は、新たに海軍基地を建設しているシンガポールが有力となるだろう。

香港における国家安全法制定で中国の覇権の野望が判明したいま、イギリスは、アングロサクソン諸国の兄弟国・アメリカをはじめオーストラリアと連携して、アジア太平洋地域での存在感を示そうとしている。「アジアの世紀」に備えることこそが、イギリスの国益確保につながると確信するからだ。イギリスがまた、TPP11加盟に関心を示すのも、こうした安全保障上の思惑が関係している。

またキッド中将は、英軍のF35Bステルス戦闘機をこの地域で空母から降ろす可能性を提起し、「同盟国のアメリカを通じて、そして日本のハブ（愛知県豊山町にあるF35B戦闘機の整備拠点）を通じて」機体を維持することができると述べた。日米英で連携し、共同作戦を行うことを示唆したのだ。

南シナ海を並走する「いずも」と「クイーン・エリザベス」

中国は、地中海の一・四倍の広さを持つ南シナ海のほぼ全域を破線で囲み、自国の主権下だと主張する。すでに記したが、コロナ禍に、その水域に行政区を設置して既成事実を作ろうとしてきた。香港から自由と民主主義、法の支配、そして人権を奪ったその次は、「台湾に照準を合わせる」との観測も高まる。

こうした中国の傍若無人な振る舞いに対し、米太平洋艦隊は二〇二〇年七月、横須賀基地を拠点とする「ロナルド・レーガン」と、米西部ワシントン州に母港がある「ニミッツ」の原子力空母二隻を南シナ海に派遣。艦載機の発着艦訓練など、二度、演習を実施した。米空母二隻による南シナ海での演習は、二〇一四年以来六年ぶりのことだった。

このように米空母が南シナ海の海域にとどまり、演習を繰り返すことは異例だが、それは東アジアの平和に危機が迫っていることの証左である。

さらに英タイムズ紙によると、二〇二一年初めに太平洋で実施される日米合同軍事演習に、英海軍も参加する計画も進んでいた。アメリカが「航行の自由作戦」を実施する南シナ海海域も、演習の対象に入っていた。そこでは日本の空母型護衛艦「いずも」と英海軍の最新鋭空母「クイーン・エリザベス」、さらには横須賀基地を母港とする米海軍第七艦隊の原子力空母「ドナルド・レーガン」の三隻が並走して演習することになる。

日英両国は、シーパワーとして、アジア太平洋地域の軍事的プレゼンスの重要性を認識し、防衛協力を進展させ、日英協力の可能性を模索している。トランプ政権発足以降、アメリカの動向に不透明感が増すなか、日本がイギリスとの防衛協力を通じて貢献することは、アジア太平洋地域全体の安全保障にもつながるのだ。

イギリスが、英連邦諸国が集中するアジア太平洋地域に回帰しようとしていることは、極めて重要な事実である。まず経済面から見ると、アジア太平洋地域は世界経済の成長のエンジンであり、イギリスは、その成長に便乗したい。外交・安全保障面では、これまでEU加盟国であったがために、長いあいだヨーロッパという狭い地域に縛られていたという反省もある。

アジアでは、一九七一年に英連邦五ヵ国（イギリス、マレーシア、シンガポール、オースト

空母型護衛艦「いずも」

ラリア、ニュージーランド）が締結した防衛協定（五ヵ国防衛協定）をベースに、英連邦のネットワークを利用して、防衛活動を活発化させている。インド洋にはディエゴガルシア島を所有し、アメリカに海軍基地を提供している。

外交・安全保障では、イギリスはEU離脱後、独立した存在として世界で役割を果たさなくてはならない。コロナ禍を契機に、覇権主義的な中国の暴走を阻止し、アジア太平洋地域の安定とルールに基づく国際秩序の形成をサポートすることは、国益に資する。北朝鮮に対する制裁や南シナ海における航行の自由を維持するためにも、五ヵ国防衛協定の加盟国や同盟国のアメリカや日本との協力が、死活的に重要となる。ここでもイギリスは、日本を、アメリカやオーストラリアなどのアングロサクソン諸国と同じ文脈で、同盟国として位置づけているのである。

さらにアジア太平洋地域の防衛に参画するには、英海軍は先端軍事技術を世界に誇示する必要がある。そこで英政府が進めているのが、武器の売却だ。ストックホルム国際平和研究所（SIPRI）によると、二〇一三〜二〇一七年の世界武器輸出国ランキングで六位のイギリスは、二〇一七年だけでも武器輸出額が一一三〇億ドル（約一一兆八七〇〇億円）に上った。輸出先の上位三位までは、サウジアラビア、オマーン、インドネシア。二〇一八年には、オーストラリアとのあいだで対潜フリゲート艦九隻の売買契約、二六〇億ドル（約二兆七三〇〇億円）相当を結んでいる。今後も英連邦諸国などを中心に売却を進める構えだ。

日米英の協力で北朝鮮の「瀬取り」を発見

英海軍の艦船がアジアに派遣されたのは、二〇一三年が最後だった。駆逐艦「デアリング」が、オーストラリア海軍創設一〇〇周年の記念行事と英連邦五ヵ国防衛協定の合同軍事演習に参加するために向かった。また同年、軽空母「イラストリアス」が、超大型台風ハイエンの被害を受けたフィリピンに向け、人道支援活動のため航海した。

しかし、二〇一六年六月に国民投票でEUからの離脱を選択したとき、潮目が変わった。二〇一八年四月には、朝鮮戦争以来となる海軍艦艇三隻を極東に派遣。揚陸艦「アルビオン」は、オーストラリアとニュージーランドに寄港し、英連邦五ヵ国防衛協定の合同軍事演習に参加後、日本に寄港した。フリゲート艦「サザーランド」と「アーガイル」は、日米韓合同軍事演習に参加、北朝鮮に対する経済制裁の履行監視活動を行った。

二〇一九年三月には、フリゲート艦「モントローズ」が、神奈川県横須賀市の米海軍第七艦隊の旗艦「ブルーリッジ」の指令により、東シナ海公海上で、海上自衛隊の補給艦「おうみ」と連携して、北朝鮮の「瀬取り」を発見した。北朝鮮籍タンカーが、その積み荷を別の小型船舶に横付けして移し替える行為を、連携して見つけたのだ。

このあと日英両政府は、国連安全保障理事会決議違反に当たるとして、国連に通報した。瀬取りの摘発で日英が連携するのは初めてのこととなった。ヨーロッパからは極東に当たる東シナ海まで航海し、北朝鮮籍船の監視活動を展開したのは、イギリスが言葉だけでなく、実際にアジアに出ていく意思を示したといえる。

また南シナ海では、英海軍と仏海軍の合同チームが、航行の自由を確保するための哨戒活動を実施している。日本に寄港した「アルビオン」は、二〇一八年八月、南シナ海の西沙諸島付近を航行し、ベトナムのホーチミン市に親善目的で寄港した。

これに対して中国外務省は、同艦が「中国政府の許可なしに中国の西沙諸島の領海に侵入した」ことを受け、「強い不満」を表明した。そして、「中英関係全般および同域の平和と安定を損なわないよう、このような挑発行為の即時中止を英政府に強く求める」と抗議した。

しかし英海軍は怯まず、二〇一八年一二月二五日、「アーガイル」は南シナ海で、日本の海上自衛隊の護衛艦「いずも」と米海軍潜水艦一隻と、対潜水艦演習を実施した。そして、いったん日本に寄港させた「アーガイル」を、二〇一九年一月一一日から一六日には再び南シナ海に派遣し、米海軍の誘導ミサイル駆逐艦「マッキャンベル」との軍事演習を実施している。

米海軍、日本の海上自衛隊との合同演習は、南シナ海を含むアジア太平洋地域における英海軍のプレゼンスが復活したことをアピールする事例になった。英海軍筋によると、日米同盟、米英同盟を基軸とした日米英協力の合同訓練や演習は、今後も続ける予定だ。

北富士演習場に精鋭部隊を派遣した英陸軍

二〇一八年一〇月、北富士演習場などで実施された陸上自衛隊と英陸軍の共同訓練は、米軍以外の外国地上部隊が日本で行う初の演習となった。

日英双方から合わせて一〇〇人余りが、二週間にわたって、静岡、山梨、宮城で行った演習。このときは、五〇〇年近い歴史を持ち、過去数々の実戦に投入された偵察部隊、英陸軍屈指の精鋭部隊といえる「名誉砲兵隊」も参加した。

英陸軍の野戦軍の司令官パトリック・サンダース中将は、NHKのインタビューに対し、「イギリスの意志を示すために、精鋭部隊を派遣した。英陸軍では初めての日本の国土への派遣だ。このことがいかに重要であるか。過小評価してはならない」と述べ、「日本はアジアで最も重要なパートナーだ。これは『新たな形の同盟』だ」とも語った。

海上自衛隊練習艦「かしま」の歓迎レセプションで鏡割りを行うペンブロークのエイデン・ブリン州議会議員（中）と鶴岡公二駐英大使（右）、ポーツマス市のリー・メイソン名誉市長（左）

この共同訓練は形式的な日英友好親善の目的で行われたのではなく、イギリス側には本気で日本との関係を強化し、安全保障協力を進めようとする強い意志があった。

一方の日本も、陸海空の自衛隊が、イギリスに部隊を派遣している。二〇一八年八月二五日、遠洋航海中の海上自衛隊の練習艦「かしま」と護衛艦「まきなみ」が、英海軍最大の拠点、南部のポーツマス基地に寄港、英海軍の関係者らを招いて艦上レセプションが開かれた。このときは日本料理や日本酒などが振る舞われ、交流を深めた。また、入港前の沖合では英海軍との共同訓練が行われ、日英の艦船が近くを並走し、連携をアピールした。

レセプションには、日本海軍初期の軍艦「比叡」が建造されたウェールズ・ペンブローク選出のエイデン・ブリン州議会議員も参加した。ペンブロークには、日本海海戦でロシアのバルチック艦隊を破った東郷平八郎元帥がイギリス留学中に艤装員として滞在し、そこから同艦を回航させて帰国するなど、日本とゆかりが深い。「日本海軍発祥の地」として語り継がれており、同議員は「一四〇年以上前に始まった日英交流をさらに発展させていきたい」と述べた。

また、京都府舞鶴市と姉妹都市関係を結んでいるポーツマス市のリー・メイソン名誉市長は、「イギリスと日本は海軍を通じて深いつながりがある。肉じゃがやカレーライスがイギリスから日本に伝わった。我々も日本との関係を深めたい」と笑みを浮かべると、練習艦隊の泉博之司令官も、以下のように応じた。

「イギリスは、日本海軍が学んだ歴史的に関係の深い国。我々の訪問で、その関係を見つめ直し、今後に結び付けたい」

さらに二〇一九年九月、陸上自衛隊が初めて訓練部隊を派遣し、偵察・監視活動の共同訓練を行った。

「自由で開かれたインド太平洋構想」に英仏を

繰り返す。イギリスが「インド太平洋」に進出することには、世界的な意義がある。

「自由で開かれたインド太平洋構想」は、日本が二〇一六年に提案したものである。二〇一七年にアメリカが賛同したが、それ以降、構想は具体化していない。太平洋とインド洋の接点に位置する東南アジア諸国連合（ASEAN）が、安全保障ではアメリカに依存しながら、経済面では中国に期待する立場から、日米とは距離を置いているためだ。

構想の背景には、中国が、アジア、中東、アフリカ、ヨーロッパを包む経済圏を作ろうとする「一帯一路構想」がある。中国が軍備拡張による海洋覇権を狙っていることへの懸念があり、シーレーンの安全を守る必要があるためだ。

日本は、日米豪印四ヵ国による海洋安全保障の協力体制を構築し、中国とのバランスを取ることを重視している。ところが重要な戦略的位置を占めるASEANが、二〇一九年に出した報告書「インド太平洋の展望」で「ASEANは、競合する利益の存在する戦略環境のなかで誠実な仲介者であり続ける必要がある」と述べ、「仲介者」としての役割しか担っていない。

ASEAN加盟国のうち、シンガポールとマレーシアは英連邦にも加盟しており、イギリスと五ヵ国防衛協定を締結している。イギリスが一定の影響力を持っている。

平和・安全保障研究所の西原正（にしはらまさし）理事長は、二〇二〇年三月一二日付の産経新聞「正論」欄で、「クワッド（日米豪にインドを加えた四ヵ国の安全保障協力：引用者註）に英国とフランスを加え、少なくとも6カ国連携を形成すべきである。両国はともにインド太平洋における安全保障の役割に強い関心を示しており南シナ海での航行の自由作戦にも参加している。近年は日英および日仏の防衛協力も進んでいる」と述べ、「自由で開かれたインド太平洋構想」にイギリスとフランスを参加させるべきだと唱えている。

日本政府も、「自由で開かれたインド太平洋構想」を進めるうえで、イギリスを重要なパートナーと位置づけている。外務・防衛閣僚会合（2プラス2）で二〇一七年一二月に訪英した河野太郎外相は、会談後、ロンドンのグリニッジにある国立海事博物館で開かれた記者会見で、以下のように述べて、同盟復活に応じる構えを示した。

「イギリスがスエズの東に戻ってくることを大いに歓迎する。いままでのパートナー国から、さらに関係を強化していく」

また外務省幹部も、「特に保守党政権はインドとの関係が強く、海洋国家的だ」と、関係進展に意欲的だ。

インド太平洋構想をめぐっては、アメリカのトランプ大統領も、日本に同調する姿勢を打ち出している。およそ一〇〇年前、日英同盟は、アメリカの圧力に潰されてイギリスが破棄する形となったが、二一世紀の新・日英同盟は、アメリカの存在が日英を結び付ける留め金となっている。また、アメリカの特別な同盟国であるイギリスとの連携は、日米同盟を下支えする役割も果たす。

そしてイギリスは、同じ主要七ヵ国（G7）の一員であり、国連安全保障理事会の常任理事国の一つでもある。ヨーロッパで最強の軍事力と世界屈指の情報機関を持ち、国際社会に一定の影響力を有するイギリスとの関係強化は、日本の国益にかなう。

このように、日英の関係強化は非常に有益だ。日本の領土や主権を守り、地域の平和と安定を確保するには、日米同盟の強化だけでは足りない。アメリカ以外にも「同盟に近い関係」が増えれば、日米英枢軸など、より厚みのある「多面的な安全保障体制」ができる。

まず日米プラス英で、対中連携網を構築すべきだ。そして、それを英連邦諸国を中心に世界へと、安全保障の協力ネットワークとして広げていくことが欠かせない。NATOとの協力のなかでも、とりわけ同じ海洋国家のイギリスとの関係を強化することだ。

「まるで日英同盟の時代に戻ったような気分」

先述の2プラス2の記者会見後に筆者と顔が合った旧知の英首相官邸の首席報道官は、「まるで一〇〇年前の日英同盟の時代に戻ったような気分ですね」と語りかけた。

ボリス・ジョンソン政権に外交政策を提案する「ヘンリー・ジャクソン協会」のジョン・ヘミングス前アジア研究所長（現アメリカ国防総省ダニエル・K・イノウエ・アジア太平洋安全保障研究センター准教授）は、「日英がインド太平洋の海洋安保などの維持・強化に決意を示したことは、世界で自由秩序を破る中露への反撃になった」と評価した。

日英が互いを「同盟国」と公式に呼び合ったのは、一九二三年に日英同盟を破棄して以来、初めてのことだ。二〇一七年は、日英の安全保障関係が、パートナーから同盟国の段階へと劇的に進展した年だった。

一方、イギリスでは、二〇一五年の国家安全保障戦略で、戦後初めて日本を「同盟」と明記した。日英関係を「同盟」という言葉を使って表現し始めたのは、イギリス側が先だったことが分かる。イギリス主導で日英同盟復活の動きが進められているのだ。

ただ、「同盟」復活についてヘミングス准教授は、以下のように分析する。

「ミサイルや戦闘機を共同開発し、共同訓練を拡充するなど、実質的には限りなく同盟に近い準同盟関係だ。同盟とは、第三国の攻撃に対し、武力行使を含む相互扶助を約束する国家間の結合。地位協定も必要となる。英経済界では、ＥＵ離脱後、中国と経済を拡大させたいという勢力もおり、中国との緊張を懸念して、日本との同盟関係に反対している。ただ、イギリス、日本、アメリカ、インドそれぞれの安全保障と経済利益は、別々のところにある。中国が『レッドライン』を越えるまでは、現在の形式が続くだろう」

いずれにしても日英は、限りなく同盟に近い準同盟関係と考えていいだろう。

ヘミングス准教授は、その中国が、新型コロナウイルスのパンデミックを招き、香港の自由を侵害する国家安保法を制定したことで、すでに「レッドライン」を越えたとしている。ならば準同盟関係から、いまこそ同盟関係に進めるべきだろう。

コロナ禍後に三局構造を示す世界

コロナ禍後、世界は、権威主義の中露と自由民主主義の欧米や日豪などに二極化するだろう。しかし、アメリカと独仏など大陸ヨーロッパは、「反中国」では一致しても、NATO防衛費分担問題やWHO（世界保健機関）脱退問題などで対立している。「脱中国」の度合いも、独仏は、イギリスほど顕著ではない。米英を中心としたアングロサクソン同盟国と独仏を中心としたEU、そして中露の三局構造が作り上げられる見込みだ。

そのなかで日本が接近して協力するのは、戦前の日英同盟と戦後の日米同盟を考えると、自ずと米英のアングロサクソン同盟国ということになる。すると当然、「アングロスフィア」の「ファイブ・アイズ」中核国たるイギリスとの協力が不可欠となる。だからこそ、イギリスとの新たな同盟関係がクローズアップされるのだ。

日本は日米同盟を立て直す意味でも日英協力を深化させて、ヨーロッパやオーストラリア、あるいはインドなどと、グローバルな協力体制を確立していかなければならない。

かつてはイギリスとの軍事同盟で、帝政ロシアを破った歴史もある。現在、倨傲（きょごう）の大国化した中国の脅威が世界で広がるなか、二一世紀型の新たな日英同盟を復活させ、日米英で連携することには意義があるだろう。日米と米英の同盟に、日英協力が加われば、中国の危険な行動を抑止するパワーが否応（いやおう）なく高まる。

ただ、二一世紀の「新・日英同盟」は、単なる軍事同盟ではない。海洋安全保障、テロ対策、サイバーセキュリティ、インテリジェンス、人道災害支援、平和維持活動、防衛装備品開発、そして世界で猛威を振るった新型コロナウイルス対応などの公衆衛生も含め、あらゆる分野で包括的に協力していくのだ。

この「新しい同盟関係」について、イギリスは、条約という法律の制約は受けず、地理的制約もないと理解している。米中冷戦が進行する二一世紀、日英が安全保障面で協力を強化すれば、それは世界の安定にとっても大きな意義がある。

東欧防衛はドイツが、シーレーン防衛はイギリスが

日英はユーラシア大陸の両端に位置する海洋国家であり、ユーラシアの内陸国家を牽制する宿命を負っている。日本は中国の海洋進出を警戒し、イギリスはロシアの覇権を抑え込んできた。日本は中国の、イギリスはロシアの脅威に対峙しているように見えるが、ユーラシア大陸と対峙している点に共通性があるのだ。

このため、日英の関係強化は、日本の外交の選択肢を広げる。東アジアやアジア太平洋地域の新たな秩序形成にも道を拓く。

日本は長らく国連と日米同盟を外交の基軸としてきた。しかし、テロ、サイバー攻撃、デジタル選挙介入など、二国間同盟だけでは対応できない問題が増え、さりとて国連も安全保障理事会の機能不全で本来の機能を失って久しい。日米同盟は日本の安全保障のための手段であって目的ではない。アメリカをアジア太平洋地域に関与させ続けるためには、第三国をも巻き込んで、日米同盟を基軸に、大陸国家と対峙することが望ましいだろう。

グローバル化で多極化が進み、世界におけるアジアの影響力が増す新時代に、南シナ海からインド洋、そして中東にかけた地域に関しては、英連邦の幅広いネットワークを持つイギリスの情報や分析力が、日本にとってもアメリカにとっても欠かせないだろう。

そのイギリスも、ヨーロッパを脱して、「スエズ運河以東」への回帰を目指している。

前出のジョン・ヘミングス准教授は、「日英両国は海軍の歴史を共有しているだけでなく、両海軍は共通した未来に向かっている」と指摘する。そして、「イギリスと日本は似たような防衛上のニーズを抱えている。アメリカと密接な防衛上の結び付きがある島国であり、防衛予算は概（おおむ）ね同規模で、特に海軍と空軍の装備では非常にニーズが似通っている」と説く。

二〇二〇年一月にEUから離脱したイギリスにとって、中国の海洋進出が進むなか、自国経済を支えるアジア太平洋地域のシーレーン防衛も死活問題となる。ヘミングス准教授は、NATOによる東欧防衛ではドイツの負担を増やし、イギリスはその余剰戦力をシーレーン防衛に回すのが、「ポスト・ブレグジット」の戦略だと指摘する。「東欧防衛の重心をドイツに担うよう促すことができれば、それによって英海軍をスエズ運河からシンガポールにかけての貿易ルートの防衛に回すことができる」と解説する。しかし、ドイツのメルケル首相には、NATOの分担金を増やす考えはない。

そこで、「トランプ米政権の世界関与に陰りが出た現在、準同盟関係にある日英が、アメリカを世界秩序の維持に向けて積極的に関与させるよう促すことが非常に重要だ」と続ける。日米英の三国同盟、あるいは三極関係強化に期待感を示しているのだ。

スパコン世界一「富岳」の背後にあった日英協働

ここから日英が目指す「新・日英同盟」の意義について、ここまでに述べてこなかった要素も提示しておきたい。

まずハイテク分野での相乗効果について。米中が世界一のスーパーコンピューター（スパコン）の開発競争にしのぎを削るなか、二〇二〇年、スパコンの計算速度ランキングで日本の新型機「富岳（ふがく）」が世界一を達成した。これにソフトバンクグループが二〇一六年に買収した英半導体設計大手ＡＲＭが果たした役割は小さくなかった。

ＡＲＭは、性能が向上しても回路を複雑に増やさない設計で消費電力を抑え、携帯電話の普及とともにシェアを拡大してきた。スパコンにも進出し、「富岳」にも、ＡＲＭの設計が採用された富士通のプロセッサーが使われた。

米中分断が進み、新冷戦となるなか、「富岳」は日本のスパコン技術やプロセッサーが世界レベルであることを示した。また、互いにアメリカのジュニアパートナーである日英の技術が融合し、スパコン世界一を達成した。日英両国が、軍事のみならず、あらゆる分野で技術協力できる未来の可能性を示した。

次はインテリジェンス面での相乗効果。日本の安全保障能力向上のためには、情報大国イギリスと同盟関係を結び、中東やヨーロッパ、あるいはロシアなどに関するインテリジェンスを入手したい。これまではアメリカからの情報が主体だったが、イギリスからの機密を得て情報を多角化し、国際情勢を捉えるのだ。

ただし、インテリジェンスの世界はギブ・アンド・テークが原則であり、イギリスに提供できる独自情報を得られるような環境整備（情報機関の復活）が必要になる。

そして、武器や軍事技術の共同開発。「新・日英同盟」では、資本や軍事技術における日米格差がもたらす弊害（へいがい）を補い、是正する機能も期待できる。

もちろん日米安保体制は外交の基軸だが、日本とアメリカの国力の開きは大きくなった。特に武器や軍事技術の開発では、圧倒的な資本と技術力を擁するアメリカの企業に太刀打ちできず、対等な関係を築きにくい。一方で、日本とイギリスは国力や国情が近似しており、武器や軍事技術の共同開発に際しては協力関係を構築しやすい利点がある。

日本政府が二〇一一年一二月に武器輸出三原則を緩和し、同盟国アメリカ以外の国との武器の共同開発に道を拓いた（「防衛装備品等の海外移転に関する基準」に関する内閣官房長官談話）ことを受けて、イギリスは日本との防衛協力に積極的になった。

イギリスは、新世代レーダーや複合材などといった日本の先端技術に関心を示し、海上監視能力の向上を検討。日本が開発した対潜哨戒機にも関心を寄せている。また日本でも、アメリカの同盟国であるイギリスとの共同開発や武器輸出ならば国内の反発も少ない。航空機の販路拡大を狙う日本企業にとっても、イギリスは良きパートナーとなりうる。

イギリスの防衛産業の技術を日本企業が取り入れる機会も増える。戦闘機Ｆ２（約九〇機）の退役が二〇三五年頃に始まるのを受けて調達を目指す航空自衛隊の次期戦闘機は、二〇二四年度に試作機製造を始め、二〇三五年度の配備開始を目指している。開発は国際協力を視野に入れつつも日本主導で進め、主に空対空戦闘を想定し、高いステルス性や自衛隊内でのネットワーク戦闘能力などが求められる。防衛省は国際協力の相手として、アメリカやイギリスと協議を進めている。

米軍と一体的に作戦を遂行する「相互運用性（インターオペラビリティ）」からアメリカとの協力が有力とされる。しかし日本は、同時期に新戦闘機「テンペスト」開発を進めるイギリスからエンジン開発で技術協力を受け、日本からは電子機器などの技術を提供し、技術を補完し合える。そのためイギリスは、日本との協力拡大を訴えている。

英国防省課長のリチャード・バーソン氏が産経新聞に寄稿し、「テンペストにおける日本との提携に向けたダイナミックかつ迅速な取り組みは既に好調な日英関係を強化し、全ての産業分野で生じている技術的変化の速度に対応するためのツールや取り組みを発展させる好機になると、英国は考える。日本のＦ２後継機に関する技術開発に英国が日本と協力的なビジョンを持って取り組めば、両国は戦闘機システム技術の最先端に留まることができるだろう」と唱える。

さらに、「テンペスト開発計画に関する国際協力の一環として、英国は同じ考えを持つ国々を結集させようとしている。この協力関係はわが国の重要な戦闘機部門を持続させ、最高の軍事力を確保し、各提携国の行動の自由を保証するものである。（中略）英国は両国が重視する既に緊密な日英関係を強化し、将来の技術開発においても密接に連携する機会を拡大していきたいと考えている。このような協力関係は、両国に（戦闘機の）改修の自由を保証し、重要な技術開発の協働から相互利益をもたらし、最高の技術力を適切な価格で利用できるようにするだろう」と述べた。

そしてさらに、「英国はこの提携により、既に広範囲にわたり両国の発展に貢献する日英貿易関係の強化を目指している。日本は、航空宇宙分野の素材、エンジニアリング、試験、製造およびサプライチェーンにおいて卓越する能力を提供し、英国の産業を補完している。日本は英国と提携することで、産業面および運用面の経験において世界をリードし、高度な製造、材料科学およびシステム統合を手に入れることができる」と意義を強調する。

また、「日本との戦略的協力関係は長期にわたり両国間の関係を強化し、また技術協力を提供することで、非常に能力の高い企業を集結させると確信する。英国は、両国が必要とする改修の自由を互いに認めると同時に、将来のプラットフォームやシステムが米国などの重要な安全保障上のパートナーとの間で相互利用可能になることを保証する、対等な協力関係を構築する絶好の機会と考える」と述べている。

日米同盟を補完する「新・日英同盟」が結ばれれば、日英の武器の共同開発もつつがなく進むことになるだろう。

「シックス・アイズ」が形成される日

先述の通り、新型コロナウイルスの発生源をめぐっては、中国外務省の趙立堅副報道局長がツイッターで「米軍が武漢に感染症を持ち込んだかもしれない」と主張し、世界に発信した。のちに訂正したが、NATOは中国がロシアを手本に「(軍事力と非軍事力を組み合わせた)ハイブリッド戦争の一部を仕掛けている」(NATO米代表部のケイ・ハッチソン大使)として、活発化する中国の情報工作に警戒を強めている。

人類の危機を招いたコロナ禍は、アメリカを中心とする西側民主主義国家が中露に対抗して結束できるかどうかの試金石となった。中露との情報戦に対峙するには、西側民主主義国家がインテリジェンスでも連携し、団結しなければならない。

事実は映画より奇なり——二〇一五年に公開された映画007シリーズ『スペクター』の一場面では、東京に米英や日本など九ヵ国の情報機関のトップが一堂に会し、MI5の責任者「C」が、グローバル化するテロの脅威に対抗するために機密情報を共有する「ナイン・アイズ」構想を披露した。提案は否決されたが、次のロンドン会議で承認され、「ナイン・アイズ」が誕生する。

第二次世界大戦中に暗号解読を行ったロンドン郊外のブレッチリー・パーク

この映画で日本は、アメリカ、イギリス、オーストラリア、カナダ、ニュージーランドの英語圏五ヵ国の機密情報ネットワーク「ファイブ・アイズ」を拡大させた「ナイン・アイズ」にドイツやフランスなどと加盟し、世界の機密情報を共有することになる。

この映画のシーンが現実となりつつある――。

第二次世界大戦中、イギリスの天才数学者のアラン・チューリングらが暗号解読を行ったブレッチリー・パーク（政府暗号学校）に、一九四一年二月、米軍の暗号解読部門の将校が訪問した。そうして米英でナチス・ドイツのエニグマと日本の外務省ならびに陸海軍の機密情報の共有を始めたことが、米英の特別な関係と「ファイブ・アイズ」の発端となった。

第二次世界大戦後の一九四六年、当時のソ連と東欧の衛星国に対する監視を主目的として、米英間で、最高機密情報共有ネットワークである米英情報伝達協定（のちのUKUSA協定）が交わされた。そののち、英連邦の中核となる自治領（ドミニオン）だったカナダ（一九四八年）、オーストラリアとニュージーランド（一九五六年）が加わった。こうして結成されたのが、アングロサクソン英語圏五ヵ国の情報共有ネットワークである。

二〇一〇年には、英政府通信本部（GCHQ）が創設文書の一部を公開して機密解除となり、存在が公式に明らかとなった。結成以来、英語圏五ヵ国の枠組みを維持してきたが、日英安保協力の拡大とともに、その枠組みを広げ、そこに日本が加盟する動きが出ているのだ。すなわち「シックス・アイズ」の誕生である。

「ファイブ・アイズ」に参加し宇宙も北朝鮮監視も

日英関係筋によると、英語圏五ヵ国に、日本、韓国、フランスが加わった八ヵ国が、二〇一九年秋、東京で核・ミサイル開発を進める北朝鮮の暴発を抑えるため、会合を開いた。北朝鮮情報の収集方法について議論したのだ。

このとき八ヵ国は米海軍第七艦隊（神奈川県横須賀市）の旗艦「ブルーリッジ」を指揮調整所として、北朝鮮船籍の船が海上で別の船舶に横付けして物資を移し替える「瀬取り」阻止のための監視活動を行っている。情報協力の枠組みはなかったが、北朝鮮情報でこの枠組みを拡大させて、日米韓が進めている北朝鮮の弾道ミサイルの分析以上の情報収集を活発化させる狙いがある。さらに、八ヵ国に拡大した情報ネットワークを使い、南シナ海などで拡大する中国の軍事力に関する情報収集を円滑に進めていく考えもあるという。

中国とロシアは、宇宙空間で、妨害電波による衛星の通信遮断や、ミサイルやレーザーによる破壊攻撃能力を拡大させている。脅威（きょうい）が拡大しているサイバー分野でも、二〇一八年初め、英語圏五ヵ国に日本、ドイツ、フランスが参加する「ファイブ・アイズ＋（プラス）３」の拡大八ヵ国で会合を開き、攻撃に共同で対処するために情報を共有する枠組みを作った。

北朝鮮情報、宇宙分野、サイバー攻撃への対応をめぐっても、中国や北朝鮮に近接したアメリカの同盟国である日本は、最も重要だと位置づけられている。

二〇一八年一〇月、米空軍宇宙コマンドが主催した「ファイブ・アイズ」の多国間机上演習「シュリーバー・ウォーゲーム」には、日本の外務省、防衛省、内閣衛星情報センター、宇宙航空研究開発機構（ＪＡＸＡ）が初めて参加した。アメリカの宇宙通信機器が攻撃された場合、日本の衛星システムがどう支援するか、五ヵ国と情報を共有して模擬訓練をしたのだ。

また二〇二〇年度には、ワシントンＤＣにある国防大学のサイバー戦の指揮官養成課程に、幹部自衛官が派遣された。英語圏五ヵ国以外の国からの参加は初めてである。将来の本格的な加盟に向けて交流し、情報共有を進めた。

在京外交筋によると、「ファイブ・アイズ」は、コロナ禍が到来するまで、日本とイスラエルを「六番目」の候補に挙げていた。

元米海軍大将で北大西洋条約機構（NATO）欧州連合軍最高司令官だったジェームズ・スタブリディス氏は、米メディアに対し、以下のように述べている。

「中国や南シナ海、北朝鮮に関する情報で多大な貢献を果たす日本を、六番目の正式メンバーに迎えるべきだ。この数年、英語圏五ヵ国の情報機関が、活発に日本と協力している」

またロイターも、「ファイブ・アイズ」は、中国とロシアの脅威に対抗するため、日本とドイツを入れる意向だと報じている。

中国の「戦狼外交」の結末

二〇二〇年、中国がその「隠蔽体質」から世界に新型コロナウイルスの感染を拡大させ、香港で統制強化の「国家安全法」を施行し、尖閣諸島はじめ南シナ海やインド国境の現状を一方的に変更しようとする暴挙を繰り返した。「ファイブ・アイズ」の結束は強まり、そこに足場を同じくする日本が参加し、「シックス・アイズ」として対中包囲網を敷く気運が高まった。

保守党でファーウェイ排除など反中政策を主導する「中国研究グループ」のオンライン勉強会に七月、参加した河野太郎防衛相が、日本が参加する「シックス・アイズ」構想に前向きな姿勢を表明した。すると「中国研究グループ」を主宰するトゥーゲントハット下院外交委員会委員長は、「『ファイブ・アイズ』は数十年にわたり情報・国防分野で革新的な役割を担ってきた。連帯を強化するために信頼できるパートナーを探さなければならない。日本は重要な戦略的パートナーだ」と、日本の「ファイブ・アイズ」参加を歓迎した。

これを受けて英ガーディアン紙は複数の下院議員の話として、「対中国の観点から、『ファイブ・アイズ』に日本が参加し、六番目の締結国となって、協力分野も軍事や情報だけでなく、戦略的経済協力関係に拡大する可能性がある」と、七月二九日に報じた。また保守系のデイリー・テレグラフ紙も同日付で、「中国依存から脱却して国家の重要インフラを守るため、『ファイブ・アイズ』は日本の正式な参加を検討する」と伝えた。

「ファイブ・アイズ」の一国であるオーストラリアも「シックス・アイズ」構想に前向きな姿勢を示し、併せて太平洋に自由貿易圏を作る提案を行った。医療品やレアアース（希土類）などの戦略物資を「シックス・アイズ」加盟国間で取引するというもので、情報共有の枠組みを超えた戦略的な経済連携を目指している。六番目の仲間として、ドイツやイスラエルではなく日本を選んだことを、日本人として誇らしく思う。

労働党のトニー・ブレア元首相は、産経新聞のインタビューに、習近平国家主席のもと、中国が「ここ数年間でいっそう権威主義化した」と危機感を示し、「『ファイブ・アイズ』と日本は中国問題で共通の利害で結ばれており、（日本が参加する）十分な論拠がある」と、日本の「ファイブ・アイズ」参加に賛同を示し、情報を共有すべきとの認識を示している。日本を

「ファイブ・アイズ」に参加させる構想は超党派の支持を集め、メディアでも党派性を超えた論調となり、「シックス・アイズ」は国論となっている。

二〇二〇年八月、河野防衛相は、日本経済新聞とのインタビューで、「日本は以前から五ヵ国と情報交換しており、それが恒常的になれば『シックス・アイズ』というかもしれない」と話し、正式な加盟の手続きを取る必要性はないとの認識を示した。そのうえで、「価値観を共有する五ヵ国と外交や経済で足並みをそろえるのは非常に重要だ」と述べ、「シックス・アイズ」参加に意欲を示した。好戦的になった中国側の「戦狼(せんろう)外交」が、日本を「シックス・アイズ」に導いているともいえるだろう。

情報大国のイギリスが「ファイブ・アイズ」に入れてくれるというのだから、断る理由はどこにもない。暴走する中国に対抗して、いまこそ海洋国家のアングロサクソン同盟に入ることが、日本の国益となるだろう。

対外情報機関復活とスパイ防止法整備の好機

しかし、インテリジェンスの世界では、当方が与えた質と量に応じて先方から得られるものが決まる、すなわち「ギブ・アンド・テーク」が原則だ。同じ「ファイブ・アイズ」でも、貢献度に応じて上下関係が生じる。アメリカとイギリスの情報量が圧倒的に多く、他の三ヵ国はその下になり、必ずしも米英レベルの機密情報を共有させてもらえるわけではない。正式に日本が「シックス・アイズ」に入れたとしても、五ヵ国に提供できる自前の情報を持ち合わせていなければ、米英の高度な機密情報にはアクセスできないかもしれない。

主要七ヵ国（G7）で唯一、対外情報機関を持たない日本は、主要国では突出してインテリジェンス能力が弱い。

日常が情報戦である国際社会では、情報を取られることは、国益を棄損し、国民の安全が守れなくなることを意味する。安全をアメリカに依存してきた戦後の日本は、情報の重要性を認識せず、他国のスパイを放置してきた。北朝鮮による拉致事件は、その最たる例だろう。日本から機密情報が漏洩（ろうえい）したために、日米同盟の信頼性が低下したこともある。

イギリスに駐在していた際も、日本が本格的な情報機関を持たないがゆえに、「情報漏洩」の懸念があるとして、英政府が機密情報を主要な民主主義国に提供する際、日本だけが外された悔しい現実を目にしたこともあった。二〇一八年三月に英南部ソールズベリーでロシアの元スパイと娘が有毒神経剤ノビチョクで毒殺未遂された事件だ。

事件発生直後に、空港の出入国記録やCCTV（監視カメラ）の映像から、ロシア連邦軍参謀本部情報総局（GRU）の組織的犯行であると突き止めた英政府。メイ首相は西側諸国の結束を促すため、「西側全体への脅威である」と強調し、イギリスは史上初めて「ファイブ・アイズ」以外のドイツやフランスをはじめとする西側主要国に、「GRUの犯行」の確証となる機密情報を提供した。このため、英米独仏が足並みをそろえてロシア批判の共同声明を発表した。イギリスをはじめ二九ヵ国がロシア外交官約一五〇人を一斉追放したのも当然だった。

ところが、西側で価値観を共有する「アジアの最大のパートナー」「同盟国」の日本には、まったく情報が提供されなかった。当時、駐英日本大使を務めていた鶴岡公二(つるおかこうじ)氏が、在ロンドンの特派員を対象に開いた記者会見で、「情報機関のない国に機密情報を提供すると漏洩リスクがある、と判断されたのではないか」と寂しく語った言葉が胸に突き刺さった。

日本が「シックス・アイズ」に入るならば、提供された機密情報が漏洩しないようスパイ防止法を整備して、戦前のような対外情報機関を復活させなければならない。

「ファイブ・アイズ」の内情に詳しい前出のアメリカ国防総省ダニエル・K・イノウエ・アジア太平洋安全保障研究センターのヘミングス准教授は、以下のように日本にエールを送り、情報機関の新設を訴える。

「門戸は開かれている。日本側次第だ。まず省庁の壁を取り払い、『ファイブ・アイズ』仕様の情報機関を整備しなければいけない。また情報を共有するには、英語はネイティブ並みで、アラビア語など他の言語も操れるインテリジェンス・オフィサーの養成が必要となる。『ファイブ・アイズ』に入るまでに共通システムや手続きを整備すれば、五ヵ国以外の最初の強力なパートナーとして機密情報を共有できる」

日本の安全を担保するアメリカは中国の台頭に頭を痛め、情報流出の阻止に躍起(やっき)になっている。そうしたなかで同盟国・日本からの情報流出は許容できない。五ヵ国との機密情報の共有を円滑にするためにも、スパイ防止法制定は必要だ。

このスパイ防止法をめぐっては、一九八五年に自民党有志が議員立法で法案を提出したが、野党の反対で廃案となった。安倍晋三政権となって、二〇一四年に公務員らの秘密漏洩に厳罰を科す特定秘密保護法が施行された。そのため、アメリカなどとのあいだでは安全保障協力に向けた情報共有を進めやすくなったが、スパイ活動そのものを取り締まる法律ではない。自民党の有志議員グループ「日本の尊厳と国益を護る会」（護る会）はスパイ防止法の制定を掲げているが、立法化の見通しは立っていない。

安倍政権は二〇一三年、インテリジェンスの強化を図るため、イギリスの国家安全保障会議（NSC）をモデルに国家安全保障会議（日本版NSC）を設立し、日英NSC事務局にホットラインを開設した。そして、それを補佐するために置かれた国家安全保障局（NSS）が内閣情報調査室や公安調査庁などの情報組織を統括する形で情報を収集・分析する、「コレクティブ・インテリジェンス」（協力諜報）を行っている。本格的な独立した対外情報機関は整備されておらず、リチャード・サミュエルズ米マサチューセッツ工科大学（MIT）日本プログラム所長は、日本の情報収集能力について、「日本の信号やイメージの収集能力は他の同盟国より優れており、アメリカの情報を補完するが、ヒューミント（人を介した情報収集活動）分野では大きな遅れを取っている」と指摘している。

「ファイブ・アイズ」への参加を促すイギリスの意思を「外圧」とし、長年の「課題」であるスパイ防止法と対外情報機関を整備する契機としたい。

あぶり出された媚中派の危険性

ただ、アメリカの有力シンクタンク「戦略国際問題研究所（ＣＳＩＳ）」が「日本における中国の影響力」と題する調査報告書で、経済を中心に日中関係改善を進めようとする「媚中派」と名指しで批判している二階俊博・自民党幹事長と今井尚哉・内閣官房参与らの影響力が気がかりだ。

報告書では、長年の親中派とされる二階氏が、習近平国家主席と会見し、アメリカの意向に逆行するかのように、「一帯一路」への日本の協力を表明した点が問題視されている。また、習近平国家主席の「国賓」訪日などで今井氏が二階氏と連携し、「二階・今井派」として、首相に対し中国への姿勢をソフトにするよう説得してきたと指摘している。日本政府が中国に融和的になり、米英主導の「ファイブ・アイズ」参加にブレーキをかけることが懸念される。

中国との貿易や中国からの投資を無視することは、どの国にとっても困難だ。それが分かっているからこそ、中国は強気な姿勢を取って経済カードで各国へ圧力を強める。だがコロナ禍は、マスクや感染防護具などの医療器具をはじめ、輸入を極端に中国に依存していることの弊害を白日のもとに晒した。香港問題に見られる暴挙も、全体主義を志向する中国共産党の「特異性」を露わにした。「中国vs.ファイブ・アイズ」という対立構図ができあがったのだ。

自由と民主主義、そして法の支配や人権を尊重する日本は、全体主義で監視国家の中国の支配下に入ることはできない。中国との経済的な相互依存関係が深いとはいえ、同盟国であるアメリカを選ぶのが当然だろう。経済的な結び付きを重視する「親中派」の台頭を許し、米英からの信頼を損ね、それが「ファイブ・アイズ」参加の足かせになれば、日本の国益を棄損することになる。

既存の情報コミュニティの強化だけで

しかし、悲願の正式な対外情報機関を新設するには、独立したインテリジェンス・オフィサーの養成などで、最低でも一〇年はかかるといわれている。これでは、イギリスの後押しも活かせない。妙案がないかと、日本のインテリジェンスの第一人者である元外務省主任分析官・佐藤優(さとうまさる)氏に、雑誌「Voice」(二〇二〇年一〇月号)の対談で聞いた。

佐藤氏は、「イギリスがファイブ・アイズに入れてくれるというのであれば、日本側が断る理由はどこにもない。すぐにでも入る準備をしたほうが良い」と、直ちに参加の準備に取りかかるべきだとした。そのうえで、「日本がファイブ・アイズに加わるうえで対外情報機関の新設が必須かといえば、そうは思いません。私が在職していた外務省の国際情報局(現在の国際情報統括官組織)は海外情報の収集と分析が主要任務でした。省庁の縄張りを壊してまで新しい情報機関をつくろうとすると、必ず大きな抵抗に遭う。外務省との軋轢(あつれき)を考えれば、既存の情報コミュニティを強化する方向で対応するほうが、はるかに低コストで現実的です」と説いた。

なぜなら、安倍政権が進めてきた国家安全保障局（NSS）による「コレクティブ・インテリジェンス」（協力諜報）が成果を上げており、日本は、インテリジェンス用語でいうところの「オシント：オープン・ソース・インテリジェンスの略」（新聞、雑誌、テレビなどから得られる公開情報の収集と分析）で、五ヵ国に貢献できる可能性があるからだ。米英が求める中国、ロシア、北朝鮮に関する日本の新聞や週刊誌の記事には独特の「文法」があって、日本語ネイティブでかつ裏読みができる人物でなければ、内容を判断しづらい。「米英が求めているのは、日本語情報の裏を読み解ける日本人の分析力だ」と、佐藤氏は指摘する。

NSSなど既存の情報機関では、日本語メディアに対するオシントを恒常的に行い、成果を上げている。こうした高度なオシントで得た機密情報を英語に翻訳すれば、十分、アングロサクソン五ヵ国が満足するインテリジェンスになりうる。

また日本は、世界に冠たるスパイ衛星を飛ばしており、電子・電波・サイバーによる諜報技術、さらには自衛隊の艦船や航空機による北朝鮮、中国、ロシアに対する情報収集活動にも優れている。機密情報を交換している米軍に対しても、大きく貢献しているのだ。「ファイブ・アイズ」に対しても、こうした軍事情報を提供できる。

佐藤氏は情報保護についても、「特定秘密保護法の範囲内でカバーできるので、わざわざ新しくスパイ防止法を制定する必要はない」と、現行の特定秘密保護法で対応できるとする。

ヘミングス准教授が述べたネイティブ並みの英語力についても、佐藤氏は、日本の既存の情報コミュニティにも、他国の情報機関と定期的に情報交換を行う「リエゾン（連絡要員）」が務まるような、極めて堪能な語学力とセンスを持った人材がいると証言する。対外情報機関が設立されるまでは現状の情報コミュニティを強化し、「ファイブ・アイズ」に早急に参加すべきだと、佐藤氏は説いている。

二〇世紀のアメリカの覇権を支えた源泉は、強大な経済力とインテリジェンスから生み出される圧倒的な軍事力にあった。戦後、アメリカは、イギリスをはじめとする「ファイブ・アイズ」諸国と協力することによって、世界中の情報を収集することができた。日英関係筋によると、アメリカは「ファイブ・アイズ」が日本と機密情報を共有することに賛成しているという。

「すでに日本をメンバーに招待している」

日本を「ファイブ・アイズ」に参加させる構想は、イギリスではEU離脱を国民投票で選択した二〇一六年頃から始まった。先述したように、EUから抜けたあとイギリスは、「グローバル・ブリテン」として、アジア太平洋地域への回帰を目指している。

こうした構想のなかで、日本をアジアにおける最も信頼できるパートナーとしており、アメリカをはじめオーストラリア、ニュージーランド、カナダなど英連邦諸国とともに、機密情報を共有していこうという狙いがあった。日本も第二次安倍政権が発足した頃から「ファイブ・アイズ」との連携を大きな目標として掲げ、情報保護協定など法整備も進めたため、日英の利害が一致するようになった。

イギリスでは、日本以外にもドイツとフランスを加え、中国の脅威に対抗していこうと「ファイブ・アイズ＋３」という連携の枠組みも検討されている。が、北大西洋条約機構（ＮＡＴＯ）の軍事費用分担や世界保健機関（ＷＨＯ）からの離脱問題などでドイツとフランスはアメリカとのあいだに亀裂を作り、香港問題での対抗政策などでもアングロサクソン同盟と一枚岩にはなっていない。

そこで、六番目のパートナーとしては日本が最もふさわしいとなったのである。

イギリス赴任時代から、この日本の「ファイブ・アイズ」入りについて継続して考えを聞いたＭＩ６関係者に、スカイプで尋ねてみた。

すると、ロンドンでは「情報機関を整備すれば、日本は『ファイブ・アイズ』に入れる」と社交辞令レベルにとどまっていたが、そうした将来の可能性ではなく、「オフレコだが、すでに日本をメンバーに招待している。日本が決断すれば、正式に入れる」と、一歩踏み込んで明言した。

「『ファイブ・アイズ』はエシュロンでやっていた暗号無線から、メールなどデジタル分野を対象に監視するサイバー同盟になりつつある。ヨーロッパ側から見たユーラシア（ロシア、中国）の封じ込めをイギリスが担当し、東側からのユーラシアの封じ込めを日本にやってもらいたいのだ。ニュージーランド、オーストラリア、カナダも仲間だが、地理的な問題から、日本にイギリスのパートナーになってもらうのが重要だ」

彼の声は心なしか熱を帯びているように感じられた。

さらにジョンソン首相は、九月一六日に議会で、日本の「ファイブ・アイズ」加盟について、「志を同じくする民主主義国家を招き入れることは大きな機会になり、我々も検討している」と積極的に考えていることを認め、「日本とは、防衛・安全保障面でたいへん緊密な関係を築いており、『ファイブ・アイズ』に参加すれば、さらに発展する大きな成果となるかもしれない」と期待感を表明した。しかし、「日本政府から私への（正式参加の）提案はまだない」とも述べた。

佐藤氏の主張通り、情報大国のイギリスが招待するのだから、既存の情報コミュニティを強化し、すぐにでも「ファイブ・アイズ」に入る準備をしたほうがいいだろう。

「新・日英同盟」を結び、映画００7シリーズの「ナイン・アイズ」ならぬ「シックス・アイズ」に日本が入る日は必ず訪れる。では、なぜ「必ず」といえるのか？　次章からは、日本とイギリスが再び「同盟関係」に入る歴史的な必然性を、明治維新以降の様々なエピソードとともに、筆者のイギリスでの取材と生活の体験を織り交ぜながら述べていきたい。

第3章　日本から「逆輸入」するイギリス

ウィンブルドンで一番人気はカツカレー

ウィンブルドンで毎年六月下旬にテニスのトーナメントが始まると、ロンドンの街は華やぐ。繁華街は花とテニスボールで飾られ、初夏の訪れを感じる風物詩である。

観戦の合間には、ロンドンで作られたジンをベースにした爽やかなカクテル「ピムス」を飲み、ストロベリー&クリームを頬張るのが定番だ。そこに、二〇一九年、カフェテリア式レストランに新たなメニューが登場して一番人気になり、大きな話題となった。日本生まれの「カツカレー」である。

ウィンブルドン選手権についておさらいしてみたい。日本で西南戦争が勃発した一八七七年に始まった選手権は、伝統と格式を誇る世界最古のテニス大会だ。グランドスラム（四大大会）のなかで最も権威がある。正式名称は「ザ・ローンテニス・チャンピオンシップス」。グランドスラムの会場で唯一、天然芝（ローン）のコートを頑なに守り続けるセンターコートは、世界中のテニスファンの聖地である。

セメントやアスファルトの上に、化学樹脂でコーティングされたハードコートが全盛の時代に、一九二二年の完成から天然芝のコートを頑なに守り続けている。オールイングランド・ローン・テニスクラブは、会員制の民間クラブだが、会員でさえ、センターコートではプレーできない。特別な試合を除き、大会期間の二週間しか使用されない特別な舞台だ。

緑の芝とともに伝統と格式を象徴するのが白いウェアだ。「出場選手は白色の服以外を着てはいけない」という厳しい規定があるからだ。一八八四年の女子シングルス最初の優勝者、モード・ワトソンが白のウェアを着たことを契機に、選手は試合と練習用のウェア、靴、下着まで、すべて白で統一しなければならない。色物の下着が白いウェアから透けて見えるだけで、着替えを命ぜられる。

観戦する観客にもドレスコードがある。サッカーが労働者の娯楽であるのに対し、テニス場は上流階級の「イギリス紳士」の社交場でもあった。クラブの会員は、事前配布されるドレスコードに沿った服装をしなければならない。男性はスーツ、女性は白いワンピースが定番だ。そのため英王室のウィリアム王子妃、ケイト・ミドルトン（ケンブリッジ公爵）夫人が着用する白いワンピースが、毎年、話題になる。観客席から漂う独特のハイソな雰囲気は、プレーをする選手たちをも重厚な気持ちにさせている。

そして会場内の飲食にも、どことなく気品が漂う。敷地内には、一八のレストラン、カフェ、アイスクリームスタンドがあるが、何といっても名物はストロベリー&クリーム。伝統的に、ロンドン南東に位置するケント州の厳選イチゴが使用される。ストロベリー&クリームを食べるのは、ヘンリー八世の右腕だったトマス・ウルジー卿が、試合を観に来た観客にイチゴを振る舞ったことに由来している。

また、カクテル「ピムス」も定番ドリンクだ。そのほかホット・ドッグやピザ、ケーキの老舗舗が焼くスコーンなどの軽食や、イギリスのソウルフード、フィッシュ&チップスもある。

このカフェテリア式レストランのメニューに、二〇一九年から、日本式の「カツカレー」が登場した。すると、「飛ぶように売れに売れた」（デイリー・テレグラフ紙）という。

ジャスミンライスに衣がサクサクするチキンのカツ（イギリスではポークよりもチキンが主流）をのせて、日本式の小麦粉で溶いたとろみのあるカレーのルーをかけた、まさに典型的な日本式「カツカレー」である。

「ＷＯＲＬＤ」メニューとして、「照り焼きチキンボウル」「ジャマイカのシチュー」とともに九・二〇ポンドでメニューに加えたところ、瞬く間に一番人気となった。

イギリスで日本食といえば、ポッシュ（豪華で高級、上流階級的）なイメージが定着している。そのなかでもスシに続いて急速に普及しているカツカレーは、ポッシュなウィンブルドンで食べる食事としてふさわしいからだろうか。

イギリス名物のパブにもカツカレーが

一九九九年に公開された映画『ノッティングヒルの恋人』で、ジュリア・ロバーツ演じるハリウッド女優と主演のヒュー・グラントの書店主がパークレーンにある高級日本食レストラン「ノブ」でデートしたように、イギリスでは、日本食はヘルシーでおしゃれな料理として普及しており、高級料理として富裕層たちから人気を集めている。

筆者の長男が通ったナイツブリッジのプレップスクール「ヒルハウス」の同級生の親たちは、世界有数の金融街、シティで働く金融家が多かったが、彼らから、「最初のデートは日本食レストランだった」「記念日はいつも日本食レストランと決めている」と聞かされた。

そして子どもの送り迎えで会うたびに、挨拶（あいさつ）代わりに「評判の良い日本食レストランを紹介してほしい」と話しかけられた。

一方で、持ち帰りのスシのチェーン店やラーメン店など比較的安価で楽しめるカジュアルな日本食レストランも急増し、イギリス社会に日本の食文化がすっかり定着していることを感じた。

こうしたなかで、数年前から急速に市民権を得ているのが「カツカレー」である。日本人が経営する日本食レストランをはじめ、ロンドン市内各地にある持ち帰りのスシのチェーン店、あるいはイギリス名物のパブや高速道路のドライブインなどのメニューに、「Ｋａｔｓｕ　Ｃｕｒｒｙ」として登場する。

はたまた高級な「ウエイトローズ」から一般的な「テスコ」まで、各種スーパーでも、自宅で気軽に作れる冷凍食品の「Ｋａｔｓｕ　Ｃｕｒｒｙ」が販売され、日本式のカレー粉もレシピとともに店頭に並び、飛ぶように売れている。いまやスシと並ぶ「クール・ジャパン」の象徴となっているのだ。

日本式カレーが定着した背景

興味深いことに、イギリスでは、ライスにカツ（ポークではなくチキン）をのせて小麦粉で溶いたカレールーをかけたものが「日本式カレー」として普及し、多くのイギリス人の舌を虜（とりこ）にしている。アメリカ人ではあるが、人気俳優のジョニー・デップもその一人だ。

イギリス人が日本の「カツカレー」に魅了されるには、理由がある。というのも、イギリスの植民地だったインドやパキスタンからの多くの移民が、国民食たるカレーを持ち込んだ歴史があるからだ。

香辛料がよく効いた汁気の多いソースを、パサパサした細長いインディカ米や小麦粉を水で練って焼いたナンで食べるインドカレーだが、イギリス人が好きなものは「サッカー、カレー、ビール」といわれるくらい、彼らの日常の食生活に定着したのだ。産業革命時代、労働者が工場労働の合間に短時間で食する高カロリー食として普及した「フィッシュ＆チップス」に代表されるように、イギリス人は揚げ物好きの国民でもある。

豚肉、鶏肉、牛肉にパン粉を付けて油で揚げた「カツ（カツレツの略）」は、もともとフランス料理の「コートレット」（英語ではカットレット）を原型とする料理で、明治の文明開化期に日本に伝来した西洋の料理である。現在でも、イタリアではコトレッタ（ミラノ風カツレツ）、オーストリアではウィンナー・シュニッツエルとして定着しており、イギリスでも人気が高い。

　したがって、イギリス人にとって、日本からやって来た「カツカレー」は、旧来のインドカレーとカットレットがおしゃれな日本風にアレンジされた食べ物として受け入れられやすかった。悪魔的な美味しさに加え、和食であるというクールなポッシュさが浸透しているのだ。


日本で独自に進化したカレーがイギリスに「逆輸入」


　もともとインドの郷土料理だったカレーが、これほどイギリス人に受け入れられるまでに日本で独特な進化を遂げたのはなぜだろうか。日英の友好の歴史を振り返ると、そこに答えが隠されている。

　イギリスが東インド会社を設立してインドの本格的な植民地経営に乗り出したのが一六〇〇年。初代のベンガル総督となったウォーレン・ヘイスティングが、一七七二年にカレーの原料と米を持ち帰り、ビクトリア女王に献上した。それを素(もと)に、とろみを出すために小麦粉を加え、西洋風煮込み料理にアレンジされた。

　さらに、インドでは毎回、擂(す)り鉢(ばち)に多数の香辛料を混ぜて擂り潰して調合し、カレーを作っていたが、イギリスで混合香辛料のカレー粉が発明されたことで、この手間が省け、どこでも手軽にカレーが作れるようになった。こうして上流階級の料理だったカレーが次第に労働者階級にも普及し、イギリスでも「国民食」となった。

このカレー粉を使って西洋風煮込み料理にアレンジされたイギリス式カレーが、明治の文明開化期に、日本に伝来したのである。

保存も利くカレー粉は、イギリスでも海軍の兵食用に普及していたが、明治初期、創設間もない日本海軍はイギリス式の兵制を採用して最新の軍事技術を習得する一方、悩まされた脚気(かっけ)の解消のためにもイギリス式カレーを導入した。そしてこれが、大正から昭和にかけて郷里に帰還した兵士を通じ、各家庭に浸透したのだ。

ただ、伝来したイギリス式カレーがそのまま日本で広まったのではない。日本が得意とする創意工夫(くふう)を重ね、日本風にアレンジされたのである。戦後は固形ルーが登場するなど独自の進化を続け、さらにライスの上にカツやフライをのせるなど、本場インドとは異なる風味や形状となった。

インドで生まれたカレーが植民地統治を通じてイギリスに伝わり、明治の文明開化の流れのなかでイギリスから日本に伝来した。それが日本流に進化し、「カツカレー」としてイギリスに「逆輸入」され、イギリスで大人気を博している……何とも不思議な縁である。

かつて明治期にイギリスの影響を受けて始まった日本のカレー文化が、およそ一世紀の時間を経て、今度はイギリスの食文化に浸透し、新しいソウルフードとして開花しようとしているのだ。「カツカレー」が「フィッシュ&チップス」を凌駕(りょうが)して「国民食」となる日も、そう遠くないかもしれない。

「イギリス新幹線」の名前は「あずま」

明治期にイギリスから教わり、日本で独自の進化を遂げて現代のイギリスに「逆輸入」されているのは、「カツカレー」だけではない。日本の新幹線など、鉄道技術がそうだ。鉄道発祥の地イギリスでは、いま日立製作所が開発した高速鉄道車両が鉄道輸送の一端を担っている。

ロンドンのキングスクロス駅には、人気映画『ハリー・ポッター』シリーズの「ホグワーツ行き九と四分の三番線ホーム」がある。駅構内にあるフォトスポットには朝から晩まで多数の観光客が訪れ、映画の「荷物カートを押すポーズ」の写真撮影で賑(にぎ)わう。

その近くのホームで、二〇一九年五月一五日、日立製作所がロンドン北東鉄道(LNER)に納入した新型高速列車「AZUMA(あずま)」が営業運転を開始した。当面はロンドンから中部のリーズまでの運行だが、いずれはスコットランドのエディンバラまでつながる。

「AZUMA」は架線から電気を取り込んで走行する「電車」ながら、非電化区間でもディーゼル走行できるハイテク車両。日本では時速三〇〇キロを超えて走る新幹線もあるが、最高時速二二〇キロのところ、当面は時速二〇〇キロで走行する。LNER社は今後、イースト・コースト本線の既存の車両をすべて「AZUMA」に置き換える予定だ。

日本が世界に誇る新幹線の技術が認められ、日本語の名前「あずま」を冠した高速列車が、イギリスの大動脈であるイースト・コースト本線を走ることになる。ブリテン島の東側を南北に結ぶイースト・コースト本線は、日本でいえば東海道本線に当たる。日本人にとって、これほど嬉しいことはないだろう。

現地で試乗した日立製作所・笠戸事業所の川畑淳一事業所長は、「日本は鉄道発祥の地であるイギリスから技術を学んできた。私たちが車両を納めるのはイギリスへの恩返しであり、日本とイギリスの懸け橋になってほしい」と話した。

またウエスト・コースト本線では、ロンドンとウェールズを結ぶグレート・ウエスタン鉄道（GWR）が、一足早く二〇一七年秋に日立製の高速列車を導入している。高速にもかかわらず振動が少なく乗り心地が良いため、地元ウェールズの市民から、「故障がなく、まるでイギリスのシンカンセン」と、すこぶる評判が良い。

約二〇〇年前に開業したイギリスの鉄道ネットワークは、ロンドン首都圏のみならず、国内各地で整備が続けられてきたが、インフラの老朽化が激しく、鉄道施設や車両の近代化を求める声が高まった。英運輸省は二一世紀に入り、イースト・コースト本線とウエスト・コースト本線の優等列車用車両の更新を決定した。

こうして「都市間高速鉄道置き換え計画（IEP）」の名で車両メーカーの入札を行い、新幹線車両の生産で定評がある日立製作所が二〇〇九年二月に優先交渉権を獲得。二〇一一年に一二二編成八六六両の納入が決まった。同時に二七年半にわたる車両メンテナンス事業も受注し、契約総額は一兆円規模に達した。日本企業が海外の鉄道事業で得た契約としては、過去最大となった。

当初、イースト・コースト本線の長距離列車を運行する会社は、コングロマリットのヴァージン・グループのヴァージン・トレインズ・イースト・コースト（VTEC）社だった。ヴァージン・グループの創設者で会長のリチャード・ブランソン氏は、二〇一六年三月、記者会見を開き、イースト・コースト（東海岸）を走る高速車両を日本語でイーストを意味する東「あずま」と名づけて披露（ひろう）した。

「日本製『あずま』によってイースト・コースト本線は二一世紀のイギリスで最も洗練された先進的な路線となる」――こう宣伝したのだ。

ところが、その後、企業収支の悪化から、二〇一八年六月に営業権（フランチャイズ）を返上した。収益が悪化すれば躊躇（ちゅうちょ）なく方針を変更するところは、いかにもイギリスらしい合理的な現実主義だ。やむなく運輸省が同社から運行を引き継ぐことになり、運行会社はLNER（ロンドン北東鉄道）という名で再出発した。

このとき列車名の「あずま」が存続されるかどうかが注目されたが、幸いにも日本名の愛称がそのまま引き継がれた。ただし、先頭車両にひらがなで「あずま」と記されていたものが、「AZUMA」と替わった。これを先頭車両の前面と側面に記すのだ。列車の日本語名称「あずま」は、変わらずに残ったのである。

一五〇年後に日本がイギリスに恩返し

「ＡＺＵＭＡ」がロンドンで発着するキングスクロス駅のホームには、先述の通り、人気映画『ハリー・ポッター』シリーズの「ホグワーツ行き九と四分の三番線ホーム」があり、多くの観光客が押し寄せて賑わう。その観光客たちが写真撮影する壁のほど近くに「ＡＺＵＭＡ」の案内看板がある。日本の技術で造られ、日本語名が付いた高速列車がイギリスの大動脈を走ることを日本人として誇らしく思うが、それは筆者だけではないだろう。

およそ二〇〇年前、世界で初めて蒸気機関車が実用化されたイギリスは、鉄道発祥の地として知られる。そのイギリスの先端技術をお手本に、明治新政府は、鉄道を敷設した。

明治新政府が近代的な統一国家を造るに当たっては、鉄道敷設という国内輸送力の強化が非常に重要だった。江戸時代は幕藩体制下の封建社会、領地や領民を抱える地方権力が分断されており、こうした権力と人材を東京に集中させて、西欧列強に追いつく必要があった。日本列島を一体化させ、東京にすべてを集中させるための手段として、鉄道建設が最優先課題とされたのである。

白羽の矢が立った当時のイギリスはビクトリア時代で、世界に先駆けて産業革命を成し遂げ、近代工業国家として君臨する絶頂期を迎えていた。世界の四分の一を支配した大英帝国の首都・ロンドンに、世界初の地下鉄が開業したのが約一六〇年前の一八六三（文久三）年。井上馨（うえかおる）、遠藤謹助（えんどうきんすけ）、山尾庸三（やまおようぞう）、伊藤博文（いとうひろぶみ）とともに長州ファイブ（長州五傑）の一人で、後に鉄道庁長官を務め「鉄道の父」と呼ばれる井上勝（いのうえまさる）が、ジャーディン・マセソン商会の支援もあり、鎖国の禁を犯して命がけで横浜から密航し、イギリスに渡った。

そうしてＵＣＬ（ユニバーシティ・カレッジ・ロンドン）に留学し、近代土木技術や鉱山学など当時の先進技術を学び、明治維新直後に帰国。鉄道専門官僚として、イギリス人鉄道技師、エドモンド・モレルらを「お雇い外国人」として雇った。

このモレルは日本の鉄道の軌間を一〇六七ミリの狭軌（きょうき）に定め、イギリス製の鉄製枕木（まくらぎ）を使用せず、国産の木製枕木にするなど、日本の実情に合致した形式で技術指導した。旧横浜駅があった桜木町（さくらぎちょう）駅近くに鉄道発祥記念碑とともに「モレルの碑」が建てられているのは、日本の鉄道の恩人といわれるからだ。

一八七二（明治五）年、新橋と横浜間に日本で初めて鉄道が開設され、汽笛一声が鳴り響いた。さらに一八八九（明治二二）年、新橋から名古屋、京都、大阪、神戸まで、さらにその二年後には、上野から福島、仙台、盛岡、青森まで開通。ここに近代日本の鉄道システムができあがった。

鉄道建設に当たって財政難にあった明治新政府は、技術のみならず資金面でも、イギリスに支援を受けた。大隈重信（おおくましげのぶ）が中心となり、鉄道敷設を目標にした日本初の国債を、一八七〇（明治三）年、ロンドン市場で年率九％のポンド建てで発行し、資金調達に成功した。日本初の国債をイギリスで発行し、日本初の鉄道建設技術をイギリスに委ねたのは、明治新政府においてイギリスへの信頼が最も高かったことを裏づけている。

鉄道開設から一世紀半が経過して、世界に冠たる高速鉄道を生み出した日本が、惜しみなく「メード・イン・ジャパン」のモノ造りの技術をイギリスに提供する……「恩返し」というのには、こうした背景がある。

「世界の工場」から「世界の銀行」へ

鉄道先進国だったイギリスから鉄道技術を習得した後発の日本は創意工夫(くふう)を加え、独自に進化させた新幹線を代名詞とする高速鉄道を世界で初めて生み出した。その高い技術力と安全性と速さで、いま世界から称賛されている。

日英の鉄道技術がわずか一世紀半で逆転したのは、なぜだろうか。

まず「世界の工場」だったイギリスのモノ造りが急速に衰退したことを挙げなければならないだろう。世界最初の産業革命のおかげで、自由貿易のネットワークを全世界的に確立し、一八五一年のロンドン万国博覧会を境に中流階層が急成長を遂げ、繁栄した。が、ピークは長続きせず、一八七三年、ドイツ発の深刻な大不況の影響を受け、工業生産力でアメリカとドイツに抜かれた。加えて、ロシア、イタリア、日本にも猛追されていた。

それでも対欧米諸国との貿易赤字は、対インド投資と極東、オーストラリア、オスマン帝国相手の黒字で補塡（ほてん）していた。

工業生産に代わって台頭したのがシティの金融だった。最強の国際通貨「ポンド」の力を背景に、イギリスは「世界の工場」から「世界の銀行」へ変貌を遂げたのだ。そうして資本輸出による利子や配当収入のおかげで、世界の資本主義体制の中核としての地位を占めた。保険と金融に支えられ、七つの海を制した覇権国家としての体面を保つようになった。

しかし第二次世界大戦後、世界最強通貨はアメリカのドルに代わり、インドをはじめ、ほとんどの植民地は、イギリスから独立した。そして一九七〇年代末、イギリスは「ヨーロッパの病人」と呼ばれるほどに経済が行き詰まった。すると、当時のマーガレット・サッチャー首相は、倒産や事業売却が相次いだ製造業に見切りをつけ、金融や不動産を中心とするサービス業に重心を移した。結果、大手自動車メーカー、ＭＧローバーが破産するなど、国際競争力を持つイギリスの製造業の発展は、ほぼ途絶えた。

こうして、一九世紀に世界を制覇した造船や鉄鋼など主要な製造業は、ほぼ全滅した。代わって製造拠点を移したのが、日本のトヨタ自動車、日産自動車、ホンダ、ドイツのＢＭＷなど、海外自動車メーカーだった。

そのあとは、他国の強豪選手が活躍するテニスのウィンブルドン選手権のように、海外企業がイギリスの製造業を支えてきた。しかし、安価な労働力を武器とするアジアなど新興国の台頭で、イギリスでの生産に二の足を踏む企業が増えた。すると一九九五年に一七・三％だったイギリスの国内総生産（ＧＤＰ）に占める製造業の比率は、二〇一六年には一〇％に減少した。さらにイギリスが欧州連合（ＥＵ）から離脱した結果、海外資本の製造業が流出すれば、いっそうの落ち込みが懸念されている。

　鉄道に絞って考察してみると、第二次世界大戦に連合軍として勝利したイギリスは、戦後の冷戦時代、鉄道を非常時に使用する軍の施設とみなし、敵から攻撃されやすい電化を避ける傾向にあった。このため、鉄道の普及に不可欠なディーゼルから電化への切り替えが遅れたという。また、戦後の復興とともに一九五〇年代頃からモータリゼーションが始まり、鉄道輸送に打撃を与えた。

　これに対して敗戦国の日本では、アメリカの復興支援により、戦争によって消失した鉄道の整備が進んだ。本格的な自家用車ブームが訪れたのはイギリスより約一〇年遅い高度成長時代の一九六〇年代で、それまでは鉄道が公共輸送の中心だった。こうしたなか勤勉に研鑽を積み、高い技術を積み重ね、東京オリンピックが開催された一九六四（昭和三九）年、世界に先駆けて高速鉄道の新幹線を開通させたのである。

　高速鉄道では、同じヨーロッパのドイツのシーメンスやフランスのＴＧＶなども競合するが、イギリスが日本の新幹線に、より高い価値を見出していることは、日本人として素直に嬉しい。

英海軍に恩返しした日本製部品とは何か

もう一つ、明治維新でイギリスから学んだ技術を進化させ、「逆輸入」させたモノを紹介しよう。川崎重工業製のガスタービンのエンジン部品である。二〇一三年、英海軍の艦船向けに輸出・供与したのだ。

このとき川崎重工業は、エンジン部品を航空機エンジン世界大手、ロールス・ロイス社に納めた。この部品は、ロールス・ロイス社が英海軍艦船用に、また同様に川崎重工業が海上自衛隊の護衛艦向けに生産していたものだ。イギリスで部品交換が必要になったところ、ロールス・ロイス社が生産を終了していたため、川崎重工業に輸出の依頼をしたのである。

日本には武器と武器技術の輸出を禁じた「武器輸出三原則」があり、原則として武器の輸出を認めていない。ただ共同開発のケースや、平和貢献に寄与する場合のみ、輸出が認められている。

この部品は、海上自衛隊の護衛艦のほか同じ仕様で民間の発電機にも使われており、「武器輸出三原則」に抵触しないと判断された。例外的に緩和されて輸出許可が出た背景には、輸出先が日本やアメリカと関係が良好なイギリスであることも大きかった。

友好国との安全保障面での連携を深める狙いもあったが、かつて日本海軍がお手本とし、その創設に尽力してくれた英海軍への「恩返し」の意味もあった。日本が英海軍から学んだことは少なくないからだ。

明治新政府発足と同時に誕生した日本海軍が、一八七五（明治八）年、国防強化のため、初めての軍艦として「扶桑（ふそう）」「金剛（こんごう）（初代）」「比叡（ひえい）（初代）」の三隻の建造を発注したのが、当時、世界最先端の造船技術を誇っていたイギリスだった。

このうち「比叡」コルベット艦は、七年間、イギリスに留学して海軍技術などを学んだ東郷平八郎が艤装員として監督、一八七八（明治一一）年に横浜まで回航した。建造したウェールズのペンブロークには、一八七七（明治一〇）年に進水式が行われた際、明治新政府を代表して駐英特命全権公使・上野景範（うえのかげのり）が、建造の謝意として贈った銀杏（いちょう）の木が現存している。

また、近代化を成し遂げた日本が列強と肩を並べるきっかけとなった日露戦争では、日英同盟が日本の勝利に大きく貢献したことはよく知られている。その勝利を決定づけた日本海海戦で、日本の連合艦隊がロシアのバルチック艦隊を撃破できたのは、世界最大の海洋国だったイギリスとその海軍のバックアップがあったからに他ならない。連合艦隊の艦船九〇隻のうち、戦艦や巡洋艦など主力艦を含む五五隻は輸入艦で、旗艦となった戦艦「三笠（みかさ）」をはじめ、そのほとんどがイギリス製だった。

イギリスの技術でバルチック艦隊発見を打電

日本のインテリジェンスの観点では、スウェーデンを本拠にヨーロッパ全域で本格的な諜報活動を行い、ウラジーミル・レーニンらボルシェビキの反体制運動を支援し、ロシア革命の扇動工作を行った明石元二郎大将が挙げられる。映画『007』のジェームズ・ボンドのモデル、そして史上最高のスパイとされたシドニー・ライリーが彼に、旅順(りょじゅん)から、ロシア軍や旅順要塞の情報を提供した。日英同盟に基づいて、日本はイギリスから情報協力を受けていたのだ。

さらに、イタリアのグリエルモ・マルコーニが、一八九七年にイギリスで無線電信会社を設立、一九〇一年には大西洋横断無線に初めて成功した。日本海軍は、その最新無線技術を導入し、日本海海戦では、世界の海戦史上初めて無線機が活躍したのだ。

当時、日本海軍は最新の「三六式無線電信機」を開発し、日露開戦のわずか二ヵ月前に全艦隊に装備していたが、この「三六式無線電信機」こそ、英海軍の協力の賜物(たまもの)だった。一九〇二年の英国王エドワード七世の戴冠式出席のためマルタ島に寄港した常備艦隊の司令官、伊集院五郎(いじゅういんごろう)少将に、英地中海艦隊が、惜しげもなく最新の無線機技術を伝授してくれた。こうして帰国後、日本が導入したのである。

シドニ・ライリー

この最新無線機によって通信可能な距離が延び、よりダイナミックな艦隊行動が可能になった。通信技術で優位に立てたことが、日露戦争での勝因の一つとなったのである。

一九〇五年五月二七日、日本海軍がバルチック艦隊を発見し、「信濃丸」が巡洋艦「和泉」に向けて「敵艦見ゆ」という日本海海戦の幕開けとなった信号を無線機で送れたのも、イギリスの最新技術のおかげだった。

日本海海戦を勝利に導いたイギリスの石炭

このほか、日英同盟に基づきイギリスは、日本海軍にウェールズで産出される「カーディフ炭」という最高級の良質な無煙炭を提供してくれた。これで日本海軍の燃料の性能は飛躍的に向上し、日露戦争の勝利につながったのだ。

一九世紀末に日本で使用していた石炭は、黒煙がたくさん出る割には火力が弱く、艦船用の燃料としては不都合だった。そのため日清戦争後、ロシアとの戦争に備え、海軍大臣の山本権兵衛が、イギリスから「カーディフ炭」を大量に買い付けた。

当時、イギリスは、産業革命を世界に先駆けて成し遂げ、世界の工場として君臨していたが、鉄鋼生産が競争力を失うなど、工業国としてのピークは過ぎていた。ただ、世界各国に産業革命が波及した結果、石炭の需要が高まった。ウェールズ産の石炭工場は港湾に直結していたため、輸送コストが安い。こうして「カーディフ炭」は世界有数の燃料となり、各地に輸出された。当時イギリスは、石炭輸出国だったのである。

その「カーディフ炭」を大量輸入できたおかげで、日本海軍の燃料の性能は、飛躍的に向上した。

一方、ロシアはバルチック艦隊を、北欧のバルト海から極東まで、約半年間かけて地球を半周して回航させた。しかし途中の寄港地では、イギリスが圧力をかけて、食料や水などの補給に加え、性能の良い無煙の「カーディフ炭」を確保させなかった。

こうしてバルチック艦隊は、慢性的な燃料不足によって艦隊のスピードが低下、また黒煙によって艦隊の位置を知られてしまう失態を招いた。日本海軍が対馬(つしま)沖で、世界最強といわれたロシアのバルチック艦隊を撃破した奇跡の勝利において、イギリスの無煙炭が果たした役割は決して小さくはないだろう。そして日清戦争、日露戦争、第一次世界大戦を経て、日本海軍は米英の海軍と肩を並べるまでになった。

その意味で、七つの海を支配した英海軍に対し、現代日本の科学技術で開発したエンジン部品を輸出・供与したことは、鉄道に続いて一五〇年を経た良師への恩返しとなったといえよう。

第４章　双子のような日本とイギリス

ヨーロッパの日本がイギリス

「日本はアジアのイギリス。イギリスはヨーロッパの日本。双子のように似たもの同士ですね」

産経新聞ロンドン支局に助手として勤務していた、当時三〇歳のジョン・ビショップ君は、よくこう話していた。取材助手を務めてくれたのは二〇一八年夏から二〇一九年一月までの半年足らずだったが、仕事の合間に日本とイギリスの類似性を端的に口にしていたので、よく覚えている。

世界遺産のカンタベリー大聖堂やリーズ城などがあるロンドン南東に広がる、通称「イギリスの庭」といわれるケント州出身で、ロンドンで金融ビジネスを営む父親の中流家庭に生まれたジョン君。フィリップ殿下やチャールズ皇太子も入校した南西部デボン州ダートマスにある王立海軍兵学校を卒業し、海軍下士官として地中海のマルタ共和国の英海軍基地などで勤務した。

ところが思うところがあって職業軍人を辞し、以前から興味があった日本のJETプログラム（語学指導などを行う外国青年招致事業）に応募して合格。英語指導助手として、二〇一三年から約二年間、四国の香川県高松市の教育委員会に勤務した。讃岐（さぬき）うどんや牛丼などを食べて、瀬戸大橋や鳴門（なると）の渦潮など、西日本を中心に日本の隅々を巡り、「日本」を経験した。

ジョン君いわく「日本が大好き」になって帰国。将来、イギリスで政治の世界に進む夢を抱き、ウエストミンスター（日本の永田町に当たる）の政治の現場を学ぼうと、まずは日本の新聞社の支局の門をたたいたのだ。

助手を退職後、労働党の下院議員の私設秘書を経て、二〇一九年三月から下院の議会事務局のスタッフとして活躍している。昔の職場のよしみからか、テリーザ・メイ政権が欧州連合（EU）離脱合意案の下院採決で三度も立ち往生した際、先行き不透明な離脱合意案の採決日程など、未公開情報を極秘で教えてくれた。非常に助けられた。

トマ・ピケティの「やはりイギリスは島国だ」

ともあれ、ジョン君がまず指摘した共通点は、両国ともに島国であり、四面を海に囲まれている点だ。元海軍士官候補生だっただけに、ともに島国であるという点を強調した。また、古くから海上交通が盛んであり、両国とも海に資源を求める海洋民族という共通点もある。適度に春夏秋冬があり、四季感にも、似たようなものがある。

イングランド、スコットランド、ウェールズ、北アイルランドの四地域から成る連合王国のイギリスと、北海道、本州、四国、九州と四つの島から構成される日本は、地形的にも似通っている。

イギリスはかつて世界中に植民地を持ち、「太陽の沈まない国」として覇権を握り、世界に大きな影響を与える存在だった。しかし、その面積は二四万三六〇〇平方キロメートル（世界七八位）。日本は三七万八〇〇〇平方キロメートル（世界六一位）だが、どちらも比較的小さい。

また人口は、国際通貨基金（ＩＭＦ）の二〇一九年一〇月時点での推計で、日本が一億二六五〇万人、対してイギリスは六六四四万人。イギリスの人口は日本の約半数なのだが、ジョン君は「日本はアジアのイギリス。イギリスはヨーロッパの日本」と解釈したのである。

二〇一六年、ＥＵからの離脱をめぐって行われた国民投票では、大方の予想に反して、わずか四ポイント差で「離脱」が上回った。このときフランスの経済学者、トマ・ピケティは、開口一番、「やはりイギリスは島国だ」と言い放った。大陸ヨーロッパの国々とは異なるのである。

この国民投票から約三年半続いた政治の混迷に終止符を打ち、二〇二〇年一月三一日、イギリスは正式にＥＵから離脱した。これは島国イギリスにとって、自然なことだったのだろう。

日本は戦後、アメリカ、イギリス、フランス、ドイツ、日本のＧ５（先進五ヵ国）の一国となり、経済大国に発展した（現在はイタリア、カナダを加えてＧ７）。国際通貨基金の二〇一九年一〇月時点の調べでは、日本の国内総生産（ＧＤＰ）は四兆九七一七億ドル（世界三位）、イギリスは二兆八二八八億ドル（五位）。どちらも世界経済をリードする経済大国である。比較的小さな島国なのに、七つの海に君臨する繁栄した国という点が共通する。

イギリス人助手の慧眼

「思ったことをグッとこらえて感情を表に出さないところが、日本人とイギリス人に共通する点ではないですか」

もう一人、ジョン君の前に支局の助手を務めた、当時三二歳のロバート・パーサー君はいった。自制して決して感情的にならないところが日英に共通している、と話してくれた。

優秀な金融マンだったデンマーク系イギリス人の父親が東京で勤務していたとき、コカ・コーラのCMにも登場するほど現代的な美人の母親を見初めた。そうして父親の次の勤務地だったシンガポールで生まれたのがロバート君だった。母親が寝る前によく読んでくれたのが日本の昔話。シンガポール日本人学校のサマースクールで学んだ日本語は完璧だった。

ロバート君が指摘したように、イギリス人は、他の欧米人と比べて感情的になるのを嫌う。何があっても平静を保ち、落ち着くことが大切だとされる国民性があるからだ。

第二次世界大戦直前の一九三九年、英情報省は、開戦した場合のパニックに備え、国民の士気を鼓舞する「KEEP CALM AND CARRY ON」（平静を保ち、普段の生活を続けよ）との宣伝ポスターを制作した。その際、エコノミスト誌は、「爆弾が降るなかでも勇気と不屈の意思を秘め、紅茶を入れていた、そんな伝説的イメージを直接刺激するような、イギリス気質と光景に対する郷愁だ」と批評し、イギリス人の国民性を的確に表した。

英情報省が作成した宣伝ポスター

同じヨーロッパでも、感情を素直に表すラテン系（イタリア人、スペイン人、ポルトガル人、フランス人など）に比べ、イギリス人は感情を表に出さない。感情的に怒りを見せることは、教養や躾が欠如していると捉えるからだ。

私の息子が通った「ヒルハウス」で、スペイン人のクラスメイトが別の生徒の誕生パーティーでロンドンで人気になっているスシについて、自分は生魚を食べられないため、「アイ・ヘイト・スシ（僕はスシが嫌いだ）」と、日本文化を見下すような発言をしたことがあった。その際に校長が、次のように語ったことが印象に残っている。

「スペイン人はラテン気質だから、つい思いついたことを感情にまかせていってしまう。それは良くない。イギリス人は、スシは世界で愛されていることを知っている。そのような言葉を発してはいけない」

感情的に無教養の言葉を発し、居ずらくなったのだろうか。このスペイン人の同級生は、やがて学校を去った。

日本でも新渡戸稲造が『武士道』の「克己」の章で、「口開けて　腸見せる　柘榴かな」という川柳を紹介したように、「武士たるもの、むやみに感情を露わにすべきではない」ことが美徳とされてきた。ここに共通点があるように思える。

日本人の母親から譲り受けたのだろう。日英ハーフのロバート君は、他人への気配りができる若者だった。ラトビア共和国のリガに出張取材に行った際、帰りの機中から、インタビューした政財界の要人とその秘書一人ひとりにお礼のメールを打っていたことを思い出す。

そういえば、こんなことも話していた。

「初対面で人と話すとき、イギリス人は当たり障(さわ)りのない天気の話などをします。いきなり本題に入って噛み合わなくなることを嫌うためです。日本人も、相手の立場を考えて、単刀直入に聞きませんよね」

たしかに日本人も、相手と打ち解けるため、天気の話などをして、相手の気持ちを確かめるところがある。相手を気遣うという点で、共通項があるのかもしれない。

日英に共通するお茶の文化

日本の伝統文化に魅せられたロバート君の父親のヒューーさんは、学園都市ケンブリッジで余生を送りながら、合気道の道場を開き、イギリス人に日本の文化を教えている。ヒューーさんは、こんな日英の共通点を指摘した。

「お茶ですよ。イギリスでは、動揺したときやショックな出来事があったとき、紅茶で気分を落ち着かせます。午後の紅茶の時間があるくらいですから。日本でもグリーンティー(緑茶)

を飲んで一息入れる。精神を安定させることがありますね。それに、人をもてなす芸術、すなわち茶道があるではないですか」

紅茶と緑茶と違えども、同じお茶である。イギリスの紅茶は国民的な飲み物として知られている。「紅茶がなければ仕事もできない」という人も少なくない。朝起きて一杯、寝る前に一杯、その間に四~五杯も飲む。紅茶はイギリス人の生活に欠かせないものなのである。そのため、学校や職場では一〇時と一五時にティータイムが設けられ、イギリス人一人当たりの年間紅茶消費量は約二・六キロにものぼる。一日五~六杯の紅茶を飲んでいる計算になる。

朝鮮戦争に国連軍として参加した英軍は、アフタヌーンティーの時間に砲撃を止めた。またイギリスの傭兵がティーカップを持ったまま死んだという逸話もある。紅茶はイギリス人の生活を支える重要な要になっている。人々の交流を促し、精神の安定剤になっているともいえるのだ。

しかし歴史を繙けば、もともと茶の木はイギリスにはなかった。いや、ヨーロッパのどこにもなかった。

中国の書物に茶が出てくるのは紀元後三世紀頃だが、喫茶の習慣が始まったのは、紀元前だったとされる。その後、茶を飲む習慣がアジア諸国に広がり、日本には八~九世紀に遣唐使が持ち帰ったとされる。書物で茶の製法や飲み方などが論じられたのは、一二一一年、臨済宗の開祖である栄西が書いた『喫茶養生記』である。

一方、ヨーロッパに初めて茶が伝わったのは一七世紀。一六〇九年に平戸に入港したオランダ東インド会社が日本の茶を仕入れ、翌年、オランダに持ち込んだ。そうして一六三〇年代、オランダからヨーロッパ各国に茶が輸出され、イギリスには同じ頃に入ってきた。当時、ヨーロッパに持ち込まれた茶は、紅茶ではなく緑茶だったのだ。

イギリスでは、まず宮廷で飲まれるようになった。茶とともに、中国や日本から優雅な陶磁器など茶器や茶道具が持ち込まれ、宮廷婦人から茶を飲む習慣が始まったとされる。宮廷の女性が始めた喫茶の習慣は中産階級の人々に伝わり、やがては労働者階級にまで受け入れられ、国中に広まった。その流れは女性が中心となり、家庭のなかに取り込まれたのである。

そして一九世紀には、貴婦人のあいだで、午後三時頃から茶を飲みながらサンドイッチやケーキなどを食べるアフタヌーンティーの習慣ができあがった。こうしたティー・セレモニーは貴族の社交として始まったため、ティーカップの持ち方やサンドイッチなどを食べる順番も決まっており、礼儀作法やマナーがたくさんある。

日本にもお茶の深い文化がある。生活に根づいたお茶の文化という点で、ヨーロッパのイギリスとアジアの日本は共通しているだろう。アフタヌーンティーなどで伝統と格式を重んじ、室内装飾や食器にまでこだわるのは、日本の茶道と相通じるところがある。

ただ茶道は日本の誇るべき文化だが、限られた人々がたしなみ、一般的な日常生活からかけ離れている。もう少し気軽に、幅広く、日本人が馴染めるような存在になってほしい。

日英が左側通行である歴史的な理由

イギリスでは自動車は左側通行、ハンドルも日本と同じ右にあるので、日本人にとっては運転しやすい。世界で左側通行と右側通行の比率は、人口比では三四：六六、道路の総延長距離比では二七・五：七二・五で、右側通行採用国が多数だ。左側通行を採用しているのは、イギリスと英連邦諸国の他に、日本など少数派である。

日本が左側通行を採用した理由は、江戸時代まで、武士同士がすれ違うときに左側に差した刀が触れ合うのが無礼であったからだ。それを避けるためには、相手の右側を通行するのが常識だった。その習慣が、そのまま左側通行に持ち込まれたといわれる。

イギリスでも、騎士は左に剣を差して歩いていた。緊急時に右手でさっと剣を抜けるように左に差しておけば右利きには有利。たいていの騎士が右利きだったため、騎士のあいだでは左側通行がルールになったとされる。もし左の腰に剣を差した騎士が右側通行をすると、騎士同士がすれ違うとき互いの左の腰に差した剣がぶつかり合って、すぐに決闘になってしまう。

イギリスでは馬車の左側通行が普通だったが、一七七三年には条例で決められた。こうした左側通行の共通点も日英が親近感を抱く理由になっている。

最近では、日本の中古車、とりわけ燃費の良いトヨタのハイブリッドカー・プリウスがイギリスに大量に輸入され、配車アプリのウーバーなどを使用した個人タクシーの営業車として利用されている。日本語が書かれたプリウスをロンドン市内で見かけるたびに、日英の垣根が低くなっていることを実感した。

文化人類学者で国立民族学博物館名誉教授だった梅棹忠夫（うめさおただお）氏は、その著書のなかで、以下のような主張を展開している。

「産業革命が世界の中心にあった四大文明圏ではなくイギリスという世界の中心から離れた島国で生じ、それが非西洋国では極東の島国、日本において少し遅れて生まれたのは、両国が大陸からの侵略を避ける一方で、大陸の文明を導入するのに程よい距離にあったことに主たる理由があるとされる」

日本とイギリスは、ユーラシア大陸の両端でほぼ同じような環境下にあり、工業化を成功させ、議会制民主主義で立憲君主制を採るなどの共通項がある。大英帝国は没落し、ＧＤＰと人口では日本を下回るものの、いまだ影響力を持つ国家として、イギリスはしぶとく生き延びている。

第5章　日本の皇室とイギリスの王室

二大政党制のイギリスにおける王室の役割

「イギリスにおけるエリザベス女王と日本における天皇陛下の存在はよく似ています」

産経新聞ロンドン支局の助手だったジョン・ビショップ君の指摘だ。日英両国は、ともに政治体制が立憲君主制であり、国民の王室や皇室への敬慕が強い。

イギリス人が日本に親近感を持っていることの背景には、アジアで植民地とされたことがない数少ない独立国であり、豊かな独自の文化を持っていることの他に、英王室と同じような天皇による君主制が挙げられる。

日本の皇室は、現人神（あらひとがみ）であり、古代から脈々と血統を守ってきた家系だ。いわば純粋な日本人の象徴。国民から尊敬される存在である。初代の神武（じんむ）天皇が即位した皇紀元年（西暦紀元前六六〇年）から数えると、令和二年（二〇二〇年）は皇紀二六八〇年に当たった。また世界で唯一の万世一系の王朝であり、米ワシントン・ポスト紙の調べでは、現在、世界に存在する二六もの王室のなかで最も歴史が長いのである。

英王室は一〇六六年にイングランドを征服（ノルマン・コンクエスト）したノルマンディー公ウィリアム一世を開祖としている。王たちは戦いによって地位を勝ち取った最高特権者であり、国益のために異国人との政略結婚を繰り返してきたため、血統を守ってきた一族ではない。

しかし女王や国王は、天皇陛下と同様、国民から敬愛され、「国民統合の象徴」として、社会の安定機能に寄与してきた。

議会制民主主義のイギリスは二大政党制であり、両党派同士で激しく権力闘争を行ってきた。ところが、エリザベス女王という国民全体から敬愛される存在が「権威」となり、国民のまとまりは守られてきた。

二〇二〇年四月に九四歳の誕生日を迎えたエリザベス女王は、イギリスの君主として史上最高齢を更新中で、在位期間も六八年に達し、ビクトリア女王を抜いて史上最長となった。精力的に公務をこなし、「開かれた王室」を推進してきた。ダイアナ元皇太子妃の死去など王室の危機を乗り越え、時代の変化を取り入れる柔軟さを併せ持つ「国民統合の象徴」として慕われ、国民の七割が支持している。

日本では、二〇一九年五月一日、憲政史上初となる上皇陛下の生前退位（譲位）を受け、第一二六代天皇として皇太子・徳仁（なるひと）親王殿下が即位し、元号が平成から令和に改まった。上皇陛下は三〇年余りの在位について、「象徴としての私を受け入れ、支えてくれた国民に、心から感謝します」と、最後のお言葉を述べられた。三〇年余りにわたって、災害地を訪れ、内外の慰霊の旅を続け、国民とともにあろうとする上皇陛下の姿勢は、国民の天皇制への支持を高め、象徴天皇のあるべき姿を示された。

コロナ禍で延期されてしまったが、天皇皇后両陛下が即位後に初めての訪問先として選んだのがイギリスだった。エリザベス女王からの招待を受けて二〇二〇年春、国賓としてイギリスを訪問され、ロンドン郊外のウィンザー城に滞在されるほか、イギリス各地も訪問されることになっていた。

天皇陛下も皇后さまもオックスフォード大学で学ばれた経験があり、天皇陛下はその後もイギリスを訪問し、エリザベス女王など王室のメンバーと親交を深められてきた。また二〇一九年一〇月の天皇陛下の即位の礼には、チャールズ皇太子がエリザベス女王の代理として参列した。

英王室は日本から二度、国賓として天皇皇后を迎えた。一九七一年には昭和天皇と香淳皇后が、一九九八年には上皇ご夫妻が訪問された。一方、イギリスからは、一九七五年にエリザベス女王と夫のフィリップ殿下が国賓として訪日し、関係が深い。両陛下にとって即位後初の外国訪問をされる国としてふさわしい。エリザベス女王をはじめ王族方と旧交を温め、令和の時代の新たな親善友好関係を深めていただきたい。

昭和天皇の「イギリスの王室は、私の第二の家庭だ」

皇室と英王室の交流は明治維新直後から約一五〇年の長きにわたる。近代日本を初めて訪れた「国賓」がイギリス王族だった。

一八六九（明治二）年七月、当時のビクトリア女王の次男、アルフレッド王子が、オーストラリア訪問の帰路に立ち寄った。一八八三（明治一六）年に「鹿鳴館」ができるまで、徳川幕府から接収した「延遼館（のちの浜離宮）」が迎賓館として使用されていた。王子はここに宿泊し、明治天皇から歓待を受けた。宮中晩餐会などなかったが、明治天皇は延遼館を訪れ、王子に茶と菓子を振る舞われ、接遇した。

その一二年後に延遼館を訪れたのが、アルフレッドの甥に当たるジョージ王子、のちの英国王ジョージ五世だった。年子の兄エディとともに、海軍の見習い士官として世界周遊の訓練途上、日本に立ち寄った。彼らも明治天皇から歓待され、延遼館で西洋式の晩餐会が催された。

その後、一九〇二（明治三五）年には日英同盟が結ばれ、一九〇四（明治三七）年から一九〇五（明治三八）年の日露戦争に勝利すると両国の交流はさらに深まった。日本からは一九一一（明治四四）年、東伏見宮依仁さまが、ジョージ五世の戴冠式に出席するため、皇族として初めて訪英を果たした。こうして日本はイギリスから真の同盟とみなされるようになり、最高位のガーター勲章が、明治・大正・昭和の天皇、そして上皇陛下に贈られた。

大正に入ると、裕仁皇太子（のちの昭和天皇）は、一九二一（大正一〇）年に皇太子として初めてヨーロッパを歴訪したが、最初に、そして最も長く滞在したのがイギリスだった。そして、最も影響を受けたのが、ジョージ五世だった。かつて祖父・明治天皇から歓待を受け、国王となっていたジョージ五世が、当時まだ二〇歳だった裕仁皇太子を大歓迎してくれた。

このときジョージ五世から、立憲君主制について手ほどきを受けた。一九七九年、那須御用邸で昭和天皇は記者に、「当時の英国国王ジョージ五世から立憲政治のあり方について聞いたことが終生の考えの根本にある」（『昭和天皇実録第十七』）と振り返っている。

また昭和天皇は、ジョージ五世から慈父のような温かいもてなしを受けたと語ったとされるが、元読売新聞社社会部記者の村尾清一氏が旧制第三高等学校同窓生の講演集「神陵文庫」に寄せた「皇太子の結婚」によると、昭和天皇が還暦を迎えられた一九六一年に記者会見で、「60年の生涯で一番楽しかった事」として、以下のようなことを述べられたという。

「20才の時にイギリスに行った、その時にバッキンガムの宮殿でジョージ五世が三日間泊めて、後のエドワード八世になった英国皇太子と一緒に立憲君主のあり方を手に取って教えてくれた。閣僚がこうして来た時にはどうするとか。それで自分はイギリスのジョージ五世を『第二の父』と思っていると言われました。そしたら当時の三谷隆信侍従長があわてて、『第二の父』のことばは、オフレコにしてほしいと言うのです。日本の天皇がイギリスの国王を第二の父だと言ったら、さしさわりが起る恐れがある。これは書かないでいただきたいということでした。そこで『第二の父』の言葉は書かなかったのです。だけど若き日の欧州旅行で一番うれしかった事、一番心に残る事は、ジョージ五世が教えてくれた事だとはっきり言われました」

このように昭和天皇は、ジョージ五世を「第二の父」と慕い、英王室を「第二の家庭」と思い、親近感を抱いていたといわれる。

『英国王室史事典』（森護著）によると、ジョージ五世は「内閣に対する『良き助言者』という立場を貫き、近代史上希に見る、成功せる立憲君主としての名声を不動のものとした」とされる。政府に直言し、積極的に政治介入した「君主」だった。

昭和天皇は、立憲君主制について、どのような事を学ばれたのだろうか。近現代の天皇・皇室の研究者の原武史・放送大学教授は、『昭和天皇』で、以下のように分析している。

「時あたかもヨーロッパでは、第一次世界大戦の終結と革命（一九一七年ロシア革命：引用者註）に伴い、長い歴史と伝統を誇っていた君主政治が次々に崩壊していた。皇太子のヨーロッパ訪問は、大衆社会との適合を図ることで、大戦後になお生き残ろうとするイギリスの君主政治のあり方を実地に学ぶ機会となるはずであった。つまりこの訪欧には、危機に瀕した近代天皇制を立て直すという、隠された、しかし最も重要な意図が込められていたのである」

そして、以下のように指摘する。

「『お濠の内側』で行われていた従来の宮中祭祀とは別に、『お濠の外側』で行われるべき『大規模な儀式』に対する関心を膨らませていったのではなかろうか」

上皇陛下の家庭教師だったバイニング夫人が「英王室」を理想とし、東宮教育参与の小泉信三氏が福澤諭吉の『帝室論』とともに『ジョージ五世伝』を教育のテキストに使って精読したのは、巷間よく知られている。

君主は象徴であると同時に、政治に介入する「警告する権利」もあるという立憲君主論を学んだ国王ジョージ五世は、それを実行した。皇太子としての訪欧中、ジョージ五世から、そのことを昭和天皇は学ばれ、実際に「警告する権利」を発動されたのだ。

戦後の日英の和解に貢献した王室と皇室

一九二一年五月の約一ヵ月間のイギリス訪問は、皇室のライフスタイルにも大きな影響を及ぼした。

帰国後、昭和天皇は、一九二三年からロンドンのサビル・ロウにある名門高級紳士服店で礼服を仕立て始めるなど、和装から洋服の生活に切り替えた。宮内庁関係者とともに天皇陛下の著書『テムズとともに　英国の二年間』を英訳するなど日本の皇室に詳しい故ヒュー・コータッツィ元駐日英大使によると、朝食も味噌汁にご飯からハムエッグを食することを好むようになり、戦後はオートミールとドレッシング抜きのコールスローサラダにトーストとし、イギリスの生活を日常に取り入れられた。

さらに、男系嗣子(しし)を増やすための側室制度を廃止し、「一夫一婦制」を確立した。万世一系の皇統のなかで、昭和天皇が「一夫一婦制」のリスクを持ち込まれたのは、ファミリーを大切にする英王室を見習ったためだとされる。それ以降、寝具は布団からベッドへ。それまで皇室では、専任の養育係による育児が行われていたが、親子同居とした。こうして日本でも、ファミリーとしての皇室が国民のあいだで定着することになる。

しかし、それからわずか二〇年後の一九四一年、日英開戦となってしまった。昭和天皇に与えられたガーター勲章は剥奪され、四年にわたって死闘が繰り返された。その後、一九五一年のサンフランシスコ講和条約締結で政府間の外交関係は再開したが、日英両国間で干戈を交えた「わだかまり」は続いた。

　そこに風穴を開けたのが、英王室だった。

　まず一九五三年、ウエストミンスター寺院で行われたエリザベス女王の戴冠式に、明仁皇太子（上皇陛下）が招待された。これが初めての外国訪問であり、昭和天皇の名代として戴冠式に参列されたのだ。そして一九六〇年代に入ると、日英双方の王皇族が交互に訪問するようになり、一九七一年の昭和天皇と香淳皇后によるイギリス公式ご訪問へとつながった。これは天皇にとって半世紀ぶりの訪英だった。バッキンガム宮殿で催された晩餐会では、直前に名誉が回復されたガーター勲章が、天皇の胸に飾られていた。

　その四年後、一九七五年に国賓としてエリザベス女王夫妻が来日したのは、答礼だった。女王は日本各地で大歓迎を受けた。上皇陛下はご夫妻で一九八一年にチャールズ皇太子とダイアナ妃（故人）の結婚式に参列すると、一九八六年には、チャールズ皇太子とダイアナ妃が訪日し、日本列島に「ダイアナ・フィーバー」が起きた。

　上皇ご夫妻は、二〇一二年にも、エリザベス女王即位六〇周年を記念した祝賀行事に出席するためイギリスを公式訪問された。すると三年後の二〇一五年二月、チャールズ皇太子とダイアナ妃の長子ウィリアム王子が日本を訪れた。この間、徳仁皇太子殿下（当時）と秋篠宮殿下、そして秋篠宮家の眞子さまがそれぞれイギリスに留学され、その後、徳仁天皇陛下の長女、愛子さまも名門私立学校イートン校のサマースクールへ短期留学された。日英の皇室と王室は、三世代にわたり、家族ぐるみの付き合いが結ばれている。

皇室と王室の深い関係は日英関係の重要な要素であり、両国政府はそのことに非常に重きを置いている。

日英が干戈を交えた第二次世界大戦後の和解で、上皇陛下が果たした役割は少なくない。大戦後のイギリスでは、日本軍の捕虜となった人たちを中心に、日本への恨みの感情がかなり強く、和解プロセスが始まるまでに時間を要した。しかし戦後数十年を経て和解の動きが大きくなったのは、「一九九八年の上皇陛下のイギリス訪問が重要な役割を担った」（デービッド・ウォーレン元駐日英大使）との指摘もある。訪英は政治的なものではなかったが、大衆へメッセージを伝え、和解の可能性を高めることに貢献した。

国民の反感を招いたメーガン妃の浪費

ただ、チャールズ皇太子とダイアナ妃の次男、ヘンリー王子夫妻の王室離脱問題では、メーガン妃によって長い王室の伝統が守られなかったことに対する国民の反発が大きい。長い混迷を打破して二〇二〇年一月三一日、欧州連合（ＥＵ）から離脱したイギリス。もう一つの「離脱」問題であるヘンリー王子夫妻の王室「引退」は、「ダイアナ妃の死後、王室最大の危機」

（ニューヨーク・タイムズ紙）、「過去三〇年でイギリス王室最大のニュース」（デイリー・テレグラフ紙）となり、国内の結束の弊害（へいがい）となりかねない。

階級社会であるイギリスには、身分の高い者は公に尽くすべきだという「ノブレス・オブリージュ」の精神がある。またイギリス階級社会の頂点ともいえる王室には、批判が集まりやすい。それにもかかわらず、メディアの過剰取材を嫌って女王にも相談せず、王室主要メンバーから身を引くとSNSで発表した王子夫妻に対し、国民の怒りは収まらない。

王族としての特権は維持しながら、公務などの責任を果たさない「都合の良い」夫妻の考え方に触れ、国民のあいだで人気は急落した。英調査会社ユーガブの調査では、「好感度」について、ヘンリー王子は七一％から五五％に、メーガン妃は五五％から三八％に下落し、離脱騒動の主役となったメーガン妃を「嫌い」な人は三五％から四九％まで急増した。

そもそも二〇一八年五月、ウィンザー城のセントジョージ礼拝堂で行われた夫妻の結婚式は、異例ずくめだった。シカゴ出身のアフリカ系アメリカ人総裁主教が聖書の代わりにタブレットを手にマーチン・ルーサー・キング牧師の言葉を引用して説教し、ドナルド・トランプ大統領をも非難した。アフリカ系イギリス人の聖歌隊がゴスペルで「スタンド・バイ・ミー」を歌った。メーガン妃はセントジョージ礼拝堂がカビ臭いので空気清浄機を置くよう求めた、とも伝えられた。

しかし国民は、このように王室の伝統とかけ離れていても、多様性の時代にふさわしいと、概ね好感を抱いて祝福した。英メディアも、魅力あふれる現代の王室と期待し、前向きに報じた。

国民の感情が激怒に変わったのは、二〇一九年五月、長男アーチー君の出産を機に噴出したメーガン妃の浪費だった。英メディアによると、ヘンリー王子夫妻はウィリアム王子夫妻と袂を分かち、ケンジントンパレスから、二四〇万ポンド（約三億三六〇〇万円）で改装したウィンザー城フロッグモア・コテージに引っ越した。

また、ニューヨークの五つ星ホテルのペントハウスで三三万ポンド（約四六〇〇万円）かけて「ベビーシャワー（出産前に妊婦を祝うパーティー）」を開いた。そこには、女子プロテニス選手のセリーナ・ウィリアムズやジョージ・クルーニーの妻で人権弁護士アマル・クルーニーら著名人が招かれた。加えて、ジバンシーの詰まった洋服箪笥を七八万七〇〇〇ポンド（約一億一〇〇〇万円）で購入。メーガン妃三八歳の誕生日祝いには、スペインのイビサ島に片道二万ポンド（約二八〇万円）のプライベートジェットで往復した。このとき六泊の宿泊費は一二万ポンド（約一七〇〇万円）にものぼった。

エリザベス女王は、ストッキングが伝線すると老舗高級百貨店ハロッズに繕いに出し、宮殿の電気を一つひとつ消して、晩餐会の残り物も無駄にしない、質素な倹約家として知られる。ウィリアム王子家族も二〇一九年夏、女王の招きでスコットランドにて夏季休暇を過ごす際、家族で片道三五〇ポンド（約五万円）の格安航空券を購入する清貧な暮らしを送る。

公費で贅沢三昧な生活をしていると指摘されるアフリカ系アメリカ人女優、メーガン妃に対し、ＥＵ離脱を推進した白人労働者らが怒りを露わにしたのも、当然だろう。

英メディアによると、ウィンザー城周辺のギフトショップでは、一月下旬頃から夫妻のグッズを値下げし、たたき売った。ショップの店員は「夫妻のグッズを、もう店に並べたくない」と苦々しげに話す。周辺の住民も「誰もが夫妻の顔を見たくない」と突き放した。

カナダ人からも拒否されるヘンリー王子夫妻

プロトコールを破ったことも大きい。アーチー君誕生の際、夫妻は、王室恒例のメディアを通じたお披露目もせず、洗礼式も公開しなかった。「プライベートにしたい」とフロッグモア・コテージにこもり、メールで発表したのは出産の八時間後だった。

王位継承権を持つ子どもの誕生は国家的慶事であり、透明性と情報開示が求められる。英メディアは、誕生と同時に出産の現場で発表する慣例を破ったメーガン妃に愛想を尽かし、アフリカ系の出自に触れ始めた。

すると、保守系新聞に王室不要論が寄せられる事態にまで発展し、女王は電光石火で、夫妻の公務引退と王族としての敬称「ロイヤル・ハイネス（殿下、妃殿下）」の返上、そして公務に伴う公費辞退などを決めた。

しかし、今後の夫妻の収入についても国民の視線は厳しい。夫妻は公費を受け取らないことに同意したが、収入の九五％といわれる王子の父、チャールズ皇太子が所領するコーンウォール公領からの収益は、これまで通り受領する予定であるからだ。受領額は年額で三億円にものぼるという報道もある。前出のユーガブが約一三〇〇人の国民を対象に実施した世論調査では、約六割が受領の継続に反対した。

夫妻のブランドビジネスも非難の的になった。

サセックス公爵、公爵夫人の爵位を持つ夫妻は、王室離脱に先駆けて二〇一九年一二月、称号を基にした「サセックスロイヤル」の商標を登録。衣服、雑誌、カレンダーなど一〇〇近くの品目に使用して、収益を上げることを検討していた。またＳＮＳやウェブサイトにも「サセックスロイヤル」を使い、カナダに移りブランドビジネスを展開する計画を進めていた。

夫妻は、公務引退と同時に「ロイヤル・ハイネス」返上に同意したが、国民からは「王室を意味する『ロイヤル』の単語は使用できないはずだ。公務を引退する以上、サセックスロイヤルを使ったブランド戦略は行うべきではない」との声が上がった。王位継承権六位の王室関係者が幅広くビジネスを展開することに対し、国民は疑問を抱くのである。

そこでエリザベス女王と英王室は、二〇二〇年二月、夫妻が三月末で正式に公務から退くに当たって「サセックスロイヤル」の名称を使用しないように通達した。夫妻は渋々ながら同意して、四月からは違う名前に変えた。多額の資金を注ぎ込んだメーガン妃は最後まで抵抗したと伝えられている。

夫妻が生活の拠点を置くカナダでも、夫妻の警備費負担をめぐって物議を醸（かも）した。ヘンリー王子は二〇二〇年一月二〇日夜、カナダに到着し、同国で親子三人の新生活をスタートさせた。しかし夫妻が移住した場合、カナダ政府は警備の義務を負うとされ、その費用は毎年五〇万ポンド（約七〇〇〇万円）程度に上る可能性があるという。

カナダの調査会社ナノス・リサーチが一月下旬に実施した調査では、回答者の約八割が税金を夫妻の警備のために使用すべきではないと答えた。カナダは女王を元首とする英連邦に属する主要国の一つだが、やはり夫妻への反発が高まり、カナダ公安省は、同年二月、公務を離れる四月以降の警備費用を負担しないと発表した。

カナダで騒動を起こした夫妻は、新型コロナウイルスの感染拡大で危機が広がる三月、プライベートジェットで極秘に出国し、ロサンゼルスに移った。コロナ禍でアメリカとの国境が二一日から閉鎖されるため、その直前に電光石火のごとく飛び立った。かねてから計画していたロサンゼルス移住計画を前倒しして実行したのだ。

王室から離れた夫妻も、いずれイギリスに戻るであろうと考えていた王室は、衝撃を受けた。移住しても英連邦の主要国のカナダであれば、イギリスとの行き来も容易であると、エリザベス女王や夫のフィリップ殿下、そして父親のチャールズ皇太子らは考えていた。ところがアメリカとなると話は別である。

突然のアメリカ移住決断にメーガン妃の強い意向があったことは想像に難くない。夫妻が

「王室離脱」を発表した際、英メディアは、イギリスの欧州連合（EU）からの離脱（ブレグジット）になぞらえて、「メグジット」と呼んだが、このときの電撃的移住を「メグジット2」と評した。

二〇一六年の米大統領選で、共和党候補だったトランプ大統領を「女性差別主義者」と徹底批判して、「彼が大統領になれば、カナダに移住する」と明言していたメーガン妃にとっては、凱旋帰国には程遠い、不本意なものだったのかもしれない。

そんな夫妻にトランプ大統領は、三月二九日、ツイートで先制パンチを出した。

「女王とイギリスを称賛している。イギリスを離れた夫妻はカナダに永住すると報じられていた。彼らは今度、アメリカ移住のためカナダを離れたが、アメリカは夫妻の警備費を一切払わない。夫妻が払わなければならない」

カナダで問題となった警備費をめぐる騒動を、アメリカで繰り返されたくなかったのだろう。トランプ大統領は、自分を毛嫌いしたメーガン妃の動きに先手を打って、警備費の支払い拒否の姿勢を示したのだ。

その二時間後、夫妻のスポークスマンは、「個人資金で警備を賄う。米政府に委ねない」と発表。年間数百万ドルを自己負担することとなった。こうした断固たる大統領の決断に米国民は拍手喝采し、ツイッターでは、約五四万人が「いいね」を押した。

オバマ前大統領夫妻に影響を受けたメーガン妃は、王室での体験記の出版を手始めにセレブ・ビジネスを始めるようだが、英国民のあいだからは、ウィンザー城フロッグモア・コテージの改装費二四〇万ポンドを夫妻に請求せよなどと、不満の声が上がった。

イギリスでは、「息苦しい英王室で、多文化、多民族の家庭を築こうとしている」と夫妻を理解しようとする意見もある。が、多くの国民は、「王族としての責任から逃れながら、王室の看板を利用して、贅沢なセレブ生活を送るため王室から離脱するのは我儘だ」と、批判的に捉えている。メーガン妃が質素な英王室には不釣り合いな浪費癖があり、欲深く、権利意識の強い人柄で、王子も姉さん女房のいいなりになる夫だと判明すると、世論の風当たりが厳しくなった。

「メーガン妃というハリウッド資本主義が、イギリスでも封建制度の最後の砦となってきた王室をぶち壊した」（英エコノミスト誌）などの指摘がやまず、夫妻の「離脱」に端を発した王室の危機は、収束する気配がない。

スキャンダル続出の王室をチャールズ皇太子は救えるか

近年、数々のスキャンダルが続き、英王室の権威低下が著しい。深刻なのは、多数の少女を性的目的で人身取引したとして起訴されながら、拘留中の二〇一九年八月に自殺した米大富豪のジェフリー・エプスタイン被告の性犯罪に、女王の次男、アンドルー王子が関与していた疑惑が発覚したことだ。ニューヨークの連邦地検は二〇二〇年一月下旬、アンドルー王子に対し事情聴取を求めたが、協力は得られなかったことを明らかにし、性的被害を受けたとされる女性が名指しでアンドルー王子を非難したことも、疑惑に拍車をかけた。

　女王はヘンリー王子の「離脱」騒動直後、体調不良で公務を欠席した。心労が重なったとの見方も有力だ。

「高齢の女王が老いの一徹で奮闘し、何とか王室の権威を保っているが、もはや限界に近い」（王室関係者）との意見もある。

　二〇二〇年四月二一日に九四歳の誕生日を迎えたエリザベス女王は、一九五二年、二五歳の若さで即位して以来、一六ヵ国の主権国家（英連邦王国）の君主として君臨してきた。イギリス史上最高齢であり、イギリス史上最長在位の君主である。

　国内外で絶大な人気を誇る女王であるがゆえに、これまで幾度も王室の危機を救うことができた。かつて、女王となってから最大の危機とされたチャールズ皇太子の離婚問題では、ダイアナ元妃に直筆の手紙を送り、事態を収拾したこともあった。王室離脱問題でも、孫のヘンリー王子夫妻の意向を受け入れる一方、一部の公務を続けたり王族の敬称を使ったりすることは認めなかった。エリザベス女王は、ヘンリー夫妻の意向よりも、王室の権威維持を優先する裁定を下したのだ。筋を通したといえる。

　女王が危機管理の高い指導力を発揮したのはヘンリー王子の王室離脱問題だけではない。人類に災厄をもたらした二〇二〇年のコロナ禍でも、異例のビデオメッセージで国民に団結を訴えた。イギリスは四万人を超える欧州で最多の死者を出し、パンデミック（世界的大流行）のホットスポットとなった。この国難に対して、エリザベス女王は四月五日、テレビを通じ、「団結すれば（病気に）打ち勝てる」と強調。新型コロナウイルスとの戦いを「私たちは成し遂げる。成功は一人ひとりに懸かっている」と結束を促した。

女王がクリスマスメッセージ以外に国民向けテレビ演説を行ったのは、過去六八年間の在位中四回のみであり、このときが五回目。異例の演説で、国民を鼓舞したのだった。

「連合王国」をつなぎとめる「紐帯」

イギリスでは、二〇二〇年一月、正式に手続きが完了した欧州連合（EU）からの離脱をめぐって、国民は分断状態にある。離脱と残留が拮抗し、どちらにも収斂（しゅうれん）されないからだ。さらに英領北アイルランドとアイルランド共和国との国境管理問題やEUとの関税率や漁業権をめぐる問題などが山積している。また、新たな自由貿易協定（FTA）など将来の関係を定める第二ラウンドの交渉が、コロナ禍などの影響を受けて行き詰まった。

EUとの関係に加えて、EU残留を訴えるスコットランドの独立気運が高まって国内を分断し、イギリスを構成する「連合王国」崩壊に発展しかねない危機にも直面している。

こうしたブレグジットという国家の難問解決において期待されるのが、女王をはじめとする英王室である。

二〇一六年六月の国民投票では、イギリス全体で離脱派五二％、残留派四八％となり、わずか四ポイント差で離脱が選択された。人口の大半を占めるイングランドの投票結果が命運を左右したのだが、人口でイングランドの一〇分の一にも満たない約五四〇万人のスコットランドでは、逆に残留派が六二％となり、離脱派三八％を大きく上回った。

二〇一四年九月のイギリスからの独立を問う住民投票では、残留派が五五％で、独立派の四五％を一〇ポイント差で上回った。が、独立を党是に掲げる地域政党、スコットランド民族党（SNP）が勢力を伸ばした。そして、イギリス全体では保守党が圧勝した二〇一九年一二月の総選挙でも、SNPがスコットランド選挙区の全議席の八割近くを占めて大躍進した。するとニコラ・スタージョン党首は、EU離脱後に再び住民投票を行ってイギリスからの独立を問いたいと宣言したのだ。

独立派が過半数を占めれば、「連合王国」は存続できなくなる。三〇〇年超の歴史を持つ「連合王国」から離脱すべきとの声の高まりは「国家分裂」のリスクを孕んでいる。

しかしスタージョン党首は、独立した後の新生スコットランドの青写真として、「王国」を継続して共和制に変わることはないと明言している。君主にはエリザベス女王を擁立する構えだ。スコットランド独立派にとっても、英王室は、「安定、伝統、継続」という特別な価値を持つ存在であり、国家に不可欠と考えているのだ。

エリザベス女王の母親は、スコットランドの名門貴族の出身で、女王にはスコットランドの血が流れている。女王をはじめ王室メンバーは、毎年夏になると、スコットランドのハイランド地方アバディーンにあるバルモラル城で休暇を過ごす。チャールズ皇太子が通った高校は父親のフィリップ殿下と同じスコットランドの名門寄宿校、ゴードンストウンスクールだった。またウィリアム王子とキャサリン妃が学んだ大学は、スコットランドの名門、セントアンドリュース大学である。

このように、王室にとってスコットランドは切っても切れない身近な存在である。スコットランドの独立派にとってもイングランドと完全に袂（たもと）を分かつことができない所以（ゆえん）だろう。女王と王室が両国を結ぶ媒介の役目を果たしている。

「連合王国」では、王室が、スコットランドや北アイルランドなど各国を結び付ける「紐帯（ちゅうたい）」ともいうべき特別な存在となっている。中世以来の王室こそ、「連合王国」崩壊のピンチを救う切り札にもなりうるのだ。

英連邦との絆を保持してきた女王

六八年というイギリス史上最長在位を記録し公務に励む、世界最高齢の現役君主でもあるエリザベス女王は、大英帝国時代の旧植民地や自治領などから成る国々の連合「コモンウェルス」（英連邦）の首長である。一九四九年の発足当初、八ヵ国だった英連邦は、二〇二〇年五月現在、五四ヵ国に拡大し、人口でいえば約二四億人と、地球三分の一を占める巨大なネットワークを築いている。

このコモンウェルスは、二年に一度、輪番制でコモンウェルス首脳会議（ＣＨＯＧＭ）を開催し、共同体としての団結を強化している。悪名高かった南アフリカのアパルトヘイト（人種隔離政策）が廃止されたのも、この団結があったからだ。コモンウェルスの首長であるエリザベス女王は、毎回、首脳会議に出席し、各国首脳と個別に会見して、各国の事情を把握している。

歴代の英首相が英連邦に関心を示さなかったなかで、イギリスとコモンウェルスの絆を保持してきたのが、女王をはじめとする英王室だった。二〇一八年四月、ロンドンで開催された首脳会議では、女王をはじめチャールズ皇太子やウィリアム王子ら王室メンバーが総出となり、集まったカナダのジャスティン・トルドー首相やインドのナレンドラ・モディ首相ら五二ヵ国の首脳と会談した。

さらに女王は、イギリスのみならず、カナダ、オーストラリア、ニュージーランドなど「英連邦王国」一六ヵ国の国家元首も務める。そのため各国の紙幣にも女王の顔が印刷されている。世界最高のソフトパワーでコモンウェルスを中心に王室外交を展開するとともに、在位六八年間に仕えたチャーチルから一四人の首相からの様々な政治問題にも対応して、隠然たる政治的影響力を発揮してきた。

エリザベス女王の存在が大きすぎるがゆえに、次期王位継承者であるチャールズ皇太子が同様に国民から慕われるかどうか、疑問符が付く。

君臨すれど、統治せず——英王室は国民から敬愛されてこそ、社会の安定機能を果たす。国民の不満が高まれば、権威が失墜し、女王を中心としたイギリスの「国体」が危うくなる。

そうであればこそ、英国民が愛想を尽かしたヘンリー王子夫妻の王室離脱の影響は少なくない。英王室は国民の信頼を再び取り戻し、分断した国民を統合してほしい。皇室を仰ぐ日本人の一人として、切に願うものである。

第6章　「文明の生態史観」と日英同盟の必然

イギリス人の「日本は最も西洋的な非西洋国」

ロンドンで暮らした際、イギリス人から、「日本は最も西洋的な非西洋国」「アジアだけど、アジアではない。品質の良い自動車や家電製品に加え、アニメ、マンガ、ゲームという日本のコンテンツは『ネオ・ジャパニズム』のクールな文化であり、繊細な日本食は独自に発達した文明だ」という言葉を聞かされた。大英博物館で二〇一七年五月から八月に開催した「葛飾北斎展」や二〇一九年五月から八月の「マンガ展」に多くのイギリス人が訪れ、「ジャパン・ハウス ロンドン」で二〇一九年八月から一〇月に開催した「安野光雅展」も大盛況だった。

イギリスで「アジア」といえば、かつて植民地だったインドやバングラデシュやパキスタンの西南アジア、また英連邦諸国のシンガポールやマレーシアの東南アジア、さらに香港とメインランドの中国を意味する。何しろロンドン市中心部ラッセル・スクウェアに本部を持ち、西洋で随一のアジア研究の泰斗が集まるロンドン大学東洋アフリカ研究学院（通称ソアス、SOAS）では、アジアとアフリカを一緒にして学んでいるくらいだ。しかし、日本は、そのアジアの範疇にはないのである。

であれば、イギリス人が指摘するように、日本が「アジアの一国であってアジアの枠組みに収まらない、中国文明とは異なる高度な文明国である」のは、なぜだろうか。

この謎を解くため頭に浮かんだのが、梅棹忠夫の「文明の生態史観」である。梅棹忠夫『文明の生態史観ほか』によると、次のようになる。

まず梅棹は、東洋と西洋という分類は、ただ「類別をあたえただけで、種別をはかる目もりが用意されていない。日本が東洋一般でない以上は、日本と日本以外の東洋とがどのようなことになるかが、かたられなければならない。よくしらべてみたら、案外ひどくちがうものかもしれない」と述べている。日本と東洋（アジア）一般が「案外ひどくちがうものかもしれない」と指摘して、東洋は一括り（ひとくくり）にはできず、日本は一般的なアジアとは決定的に異質の種別の集合体だと主張した。

梅棹が、日本は東洋という枠組みに収まらないと判断したのは、「生態史観」という考え方である。「生態史観」で梅棹は、ユーラシア世界（旧世界）を横長の長円にたとえた。

東西の両端が「第一地域」で、広大な中央部が「第二地域」。日本と西欧を含む第一地域では封建体制を経て資本主義が発達したが、中国やロシアなどの第二地域では乾燥地帯の遊牧民たちによる征服が繰り返され、段階的な発展がなかった。そう論じたのだ。

その理由として、旧世界において高度の文明国となることに成功したのは「第一地域」の日本、その反対側に位置する西ヨーロッパの数ヵ国のみであり、それ以外のユーラシア大陸の中国、ロシア、東南アジア、インド、トルコ、イスラム諸国の「第二地域」とは顕著な発展格差があると説明づけた。

日本は、アジアにおける唯一の「第一地域」ゆえに、明治維新という革命で成しえた近代化は、「これらの国（アジア諸国：引用者註）のお手本にはならない。まねをして、まねができるようなものではないのである。日本は、べつのものだ」と述べた。アジアにおける日本の立場は特殊であって、まったく別の存在だと指摘するのだ。

生態学的・地政学的に大陸と距離を置く共通項

そして梅棹は、「日本におけるさまざまな社会事象が、他のアジア諸国よりもむしろ西ヨーロッパに似ているということは事実であろう」と主張し、日本と西欧との同質性を指摘したうえで、「旧世界を横長の長円にたとえると、第一地域は、その、東の端と西の端に、ちょっぴりくっついている。とくに、東の部分はちいさいようだ。第二地域は、長円の、あとのすべての部分をしめる。第一地域の特徴は、その生活様式が高度の近代文明であることであり、第二地域の特徴は、そうでないことである」と述べる。

そして、「第一地域では、動乱をへて封建制が成立するが、第二地域では、そういうように、きちんとした社会体制の展開はなかった。第二地域のあちこちでは、いくつもの巨大な帝国が、できてはこわれ、こわれてはまたできた。東と西にとおくはなれたふたつの第一地域が、もうしあわせたように、きちんと段階をふんで発展してきたのは、なぜだろうか」と自問した。

梅棹は、ユーラシア大陸をはさんで反対側に位置している西欧と日本が、構造的には同じポジジョンに位置しているという共通項を挙げ、生態学的に地球規模で見れば、「第一地域に属する日本と西欧は、封建制の時代を経た極めて似た存在であり、そこで発生し発達した『文明』が似通(にかよ)っているのは、ある意味では当然である」と喝破(かっぱ)した。

日本と西欧が文明として対応する関係にあるとしたが、梅棹は「西欧文明」はさらに「海洋文明」と「大陸文明」に区分しなくてはならないとして、「この両者は、まったく異なる文明のタイプである」と指摘した。いわゆるイギリスの海洋国家とフランスやドイツなどの大陸国家である。

梅棹の指摘に従えば、西欧とともに高度の文明国である「第一地域」である日本は、さらにイギリスと同様、「海洋国家」である。イギリスは西欧のなかで最も日本に酷似(こくじ)していると論じた。ユーラシア大陸をはさんだ日本とイギリスとのポジションには近似性があるからだ。

日露戦争前に「日英同盟」が成立したのは、単なる政治的、軍事的な理由からだけではない。同じ封建制を経て高度な文明を持った海洋国家として、生態学的、地政学的に、大陸と距離を置く共通項があったのだ。

ブレグジットの騒動の際に、離脱派のイギリス人がよく口にした、「イギリスはヨーロッパではあるが大陸ヨーロッパではない」ことと同様、日本は大陸アジアではない。欧州連合（ＥＵ）離脱を契機に急速に進展する日英関係にも、両国民のＤＮＡに根差した歴史的必然があると思える。

中央アジアの乾燥地帯は悪魔の巣

さらに梅棹は、「逆に、大陸の主体をしめる第二地域では、なぜ第一地域のような、順序よく段階をふんだ展開がなかったのか」と疑問を呈し、文明論的な観点から、ユーラシア大陸を東北から西南に斜めに横断する巨大な乾燥地帯の存在が重要で、そこから生まれる中央アジア的暴力が世界波乱の源泉となったと主張し、以下のように続ける。

「乾燥地帯は悪魔の巣だ。乾燥地帯のまんなかからあらわれてくる人間の集団は、どうしてあれほどはげしい破壊力をしめすことができるのだろうか。（中略）いまだにその原因について的確なことをいうことはできない。とにかく、むかしから、なんべんでも、ものすごくむちゃくちゃな連中が、この乾燥した地帯のなかからでてきて、文明の世界を嵐のようにふきぬけていった。そのあと、文明はしばしばいやすことのむつかしい打撃をうける」

すなわち、「第二地域の歴史は、だいたいにおいて、破壊と征服の歴史である。王朝は、暴力を有効に排除しえたときだけ、うまくさかえる。その場合も、いつおそいかかってくるかもしれないあたらしい暴力に対して、いつも身がまえていなければならない。それは、おびただしい生産力の浪費ではなかったか。たいへん単純化してしまったようだが、第二地域の特殊性は、けっきょくこれだとおもう。建設と破壊のたえざるくりかえし。そこでは、一時はりっぱな社会をつくることができても、その内部矛盾（むじゅん）がたまってあたらしい革命的展開にいたるまで成熟することができない」と分析した。

梅棹忠夫の「第二地域」への慧眼

米英は、ロシア、中国、イランを冷戦後の国際秩序を変更しようとする勢力「リビジョニストパワー（現状変更勢力）」と呼んで警戒しており、梅棹が中国、ロシア、中東諸国を破壊と征服を繰り返して成熟しない「第二地域」と指定した分析は慧眼（けいがん）である。

対照的に、ユーラシア大陸の東端と西端に位置する日本と西欧の「第一地域」は「中央アジア的暴力」が容易に届かず、恵まれた場所だと理解する。

「つまり第一地域というところは、まんまと第二地域からの攻撃と破壊をまぬかれた温室みたいなところだ。その社会は、そのなかの箱いりだ。条件のよいところで、ぬくぬくとそだって、何回かの脱皮をして、今日にいたった、というのがわたしのかんがえである」と。

梅棹は、生態学の用語法で文明史を観察し、「文明の生態史観」を記述したという。「第一地域」はサクセッション（遷移）が順序よく進行した。つまり歴史は共同体の内部からの力によって展開された、いわゆる「オートジェニック（自成的）」なサクセッションだと説明する。

一方、「第二地域」では、主として歴史は共同体外部からの力によって動かされてきた。それは「アロジェニック（他成的）」なサクセッションであると分析する。

つまり外的要因で変化してきたと解釈したのである。破壊と征服を繰り返し、成熟しないのは、このためだ。

現代は中国の発展に見られる「第二地域」の勃興（ぼっこう）期で、経済発展は「第一地域」より「第二地域」のほうが速い。しかし、梅棹は、指摘する。

「生活水準はあがっても、国はなくならない。それぞれの共同体は、共同体として発展してゆくのであって、共同体を解消するわけではない。第二地域は、もともと、巨大な帝国とその衛星国という構成をもった地域である。帝国はつぶれたけれど、その帝国をささえていた共同体は、全部健在である。内部が充実してきた場合、それらの共同体がそれぞれ自己拡張運動をおこさないとは、だれがいえるだろうか」

「第二地域」の中国が強烈な勢いで軍備を増強、東シナ海や南シナ海などで勢力を拡大し、やはり「第二地域」のロシアと軍事同盟に近い密接連携をして、世界の脅威となっている。大陸国家の拡張には海洋国家であるイギリス、アメリカ、日本が、オーストラリア、ニュージーランド、東南アジア諸国とともに手を携え、団結して対処していくしかないだろう。

「中央アジア的暴力」の強風は朝鮮半島から

日本とイギリスが緊密に接近するようになった経緯を振り返ってみたい。

地政学的に梅棹が指摘する「第二地域」の「中央アジア的暴力」は、朝鮮半島を通じ、日本にも及んできた。白村江(はくすきのえ)の戦い、元寇(げんこう)、豊臣秀吉(とよとみひでよし)の朝鮮出兵も然(しか)り。歴史を繙けば、日本はユーラシア大陸の中国やロシアなどの、朝鮮半島を経由した強風に常に対峙してきた。

しかし、対馬海峡の荒波に遮(さえぎ)られた「温室」日本では、「中央アジア的暴力」が中枢を震撼(しんかん)させ、抜本的な変化を発生させるまでには至らなかった。

日本が「中央アジア的暴力」と本格的に向き合ったのは、一九世紀以降だ。明治維新後の日本にとって最大の焦点が朝鮮半島であった。大陸国家と海洋国家が衝突する朝鮮半島の地政学上の位置は、日本にとって宿命的である。

清国の属領であった李氏朝鮮で、一八九四年一月、農民戦争である「東学党(とうがくとう)の乱」が発生すると、李朝は直ちに清国に援軍を要請したが、これを機に日本も出兵。日本が提出した日清共同による李朝内政改革草案を清国が拒否し、同年八月、日清戦争が勃発した。

このとき「定遠(ていえん)」「鎮遠(ちんえん)」を擁する清国北洋艦隊に挑んだ日本は、辛くも勝利する。明治維新や西南戦争で積んだ実践経験が清を圧倒したといわれている。

戦後の下関条約で、遼東(りょうとう)半島、台湾、澎湖(ぼうこ)諸島が割譲された。ところが、列強のなかでロシアとドイツとフランスが、強圧的な三国干渉を行った。こうして日本は遼東半島の返還を余儀なくされた。特に南下政策を推し進めるロシアにとって、遼東半島は極東アジアの戦略的要衝であり、その確保は最重要課題だったのである。

ロシアの満州占領で接近した日英

「第二地域」の中国・山東省（さんとう）で蜂起した漢人の排外主義武力集団が北京に迫り、清国に進出していた日本やイギリスなど列強八ヵ国の連合軍がこれに対抗するという義和団事件が、一九〇〇年に起こった。これを契機に、やはり「第二地域」のロシアは、満州を占領した。

満州がロシアの手に落ち、朝鮮半島で日露が直接対峙することとなった。

この頃、ロシアの満州での権益拡大に強い嫌悪感を抱いたのがイギリスだった。このロシアの満州占領を契機に「光輝ある孤立」を貫いていたイギリスが、東洋の新興国・日本と急接近して日英同盟を結ぶことになるのだが、同盟に至る経緯は、次章で詳しく触れる。

日の沈むことのない「七つの海」を支配する大英帝国と同盟関係を結ぶことによって、日本は、非白人国で唯一の帝国主義国家として発展する条件を得た。日英同盟によってフランスやドイツなどを牽制（けんせい）しながら、日本は当時世界最大の陸軍大国ロシアに挑戦し、勝利するのである。

日清・日露戦争は、日本にとって朝鮮半島が、国家を守るうえで宿命的に重要であることを内外に知らせた。その朝鮮半島は、約一二〇年が経過した現在も、核開発を続ける北朝鮮と中国に接近する韓国という二つの不安要因を内包しており、安全保障における重要性は変わらない。

「第二地域」の中国とロシアというユーラシア大陸からの「中央アジア的暴力」を、日清・日露戦争で退けた日本は、イギリスとの同盟によって、世界五大国の仲間入りを果たす。

そして第一次世界大戦が勃発すると、西欧勢力が後退した中国に、一九一五年、対華二一ヵ条を要求するなどし、勢力圏とした。しかし、このことが、同じく中国への勢力拡大を目指していたアメリカとの関係を悪化させた。アメリカというイギリスと同じアングロサクソンの兄弟国の干渉を受け、日英同盟存続に黄色信号が灯った。一九二二年のワシントン海軍軍縮条約の締結と同時に、日英同盟の廃棄を余儀なくされてしまったのだ。

アングロサクソン国家の支持を失った日本は、中国大陸の奥深くまで進攻して泥沼に陥り、最後の拠り所と仲介和平を委ねた「第二地域」のロシアからどんでん返しの「中央アジア的暴力」を食らって、悲劇的な道を辿った。最も近似性が高く協調できる同盟関係にあった「海の勢力」イギリスとの関係を放棄し、もう一つの「巨大な海洋国」アメリカとも対決して、自滅したのである。

「文明の生態史観」から見る日米英同盟の必然

そして第二次世界大戦の敗北でユーラシア大陸と断絶した日本は、敗戦後、新たにアングロサクソンの新興の海洋国家・アメリカと日米同盟を結び、西側社会の一員として迎えられた。こうして復興を果たし、先進国として蘇るのである。

二〇〇九年から二〇一二年の民主党政権時代、欧州連合（ＥＵ）のような東アジア共同体に日本が加わり、大陸国家の中国と連携すべきだとの構想が提唱されたことがあった。日米関係を軽視する政策だ。

「第二地域」で大陸国家の中国に接近することは、「第一地域」の日本としては、根本的に不適当である。海洋国家の日米の距離を遠くすることは、近代史の失敗を繰り返すことになるだろう。

地球儀を北極から眺めていただきたい。ユーラシア大陸の中心部で現状を変更しようとする大陸国家の中国やロシアを、北米、日本、台湾、東南アジア、西欧などの周辺国が取り囲んでいる。「第二地域」である、イランやイラクをはじめとする中東、ロシアとその周辺国、また朝鮮半島では、現在も破壊と征服が繰り返されようとしている。

二一世紀はイギリスを中心とした西欧、北米、日本、台湾、東南アジアなど、ユーラシア大陸を取り囲む周辺国が連携・協調し、ユーラシア大陸の「第二地域」である大陸国家による「中央アジア的暴力」を封じ込めながら、高度に文明が発達した「第一地域」の生存と繁栄を図るのが最も賢明な選択だろう。

日本は、近代史の成功と失敗から学ぶべきだ。

日英が接近することには、歴史的必然性がある。その意味で、かつて最も似通い、親密な関係だった「第一地域」の海洋国家・イギリスと、同盟関係を復活させるべきだと考える。

ＥＵ離脱で国内政治が混迷したが、国連安全保障理事会常任理事国を務める核保有国のイギリスは、主要七ヵ国（Ｇ７）のメンバーであり、現在でも大国といえる。米中貿易戦争が激化するなか、覇権志向を強める中国とロシアに西側が結束して対抗するためにも、イギリスの地盤沈下を看過してはいけない。

日本と同様、イギリスは、アメリカと同盟を組み、アングロサクソンとしての「特別な関係」にある。かつての日英同盟を復活させ、日米英の同盟関係を結べないだろうか。梅棹忠夫の『文明の生態史観ほか』を読み返して、改めて思った。

第7章　日英同盟を生んだサムライ・ジェントルマン

義和団事件で各国居留民から絶賛された日本人

かつての日英同盟は、日本とイギリスとのあいだの軍事同盟だった。一九〇二（明治三五）年一月三〇日に調印発効。この頃の世界情勢は、北からロシアが南下し、南からイギリスが北上して、日本、朝鮮半島、満州（中国東北部）で、両国の利害が衝突していた。そこでイギリスは日本と同盟を結び、ロシアに対抗しようとしたのである。

二〇世紀初めまで、一般に白人は、有色人種を差別していたといっていいだろう。そしてイギリスのそうした認識を変えたのが、一九〇〇年の中国清朝末期の動乱、義和団事件だった。

義和団事件とは、西洋人とキリスト教に反感を持つ中国人民衆が「扶清滅洋」（清国を助けて西洋人を滅ぼす）を掲げて反乱を起こし、北京駐在の外国公使館などを二ヵ月以上、包囲した事件だった。

山東省で結成された秘密結社の義和団は、「義和拳」という呪術を行う拳法を修得し、お札を貼って聖水を飲めば、西洋人の銃弾に当たらないという迷信を信じた中国人たちの集団。中国を侵略した西洋人や中国の文化や慣行を無視したキリスト教の布教などに対して立ち上がった。山東省に始まり、天津でキリスト教徒を殺傷し、教会や外国人施設、駅、鉄道などを襲撃、破壊活動を激化させた。

このとき各国政府は暴徒を鎮圧するよう要求したが、清国政府は、義和団を利用して列強の力を弱めようという思惑から放置した。すると動乱は首都の北京にまで迫る事態となり、ドイツ公使が義和団に殺害されると、西太后は西洋人を締め出す好機と受け止め、清国政府に義和団へ協力する勅令を出した。このため清国軍も呼応して列国に宣戦布告し、公使館を攻撃したのである。

当時、紫禁城東南地区の「東交民巷」にあった外国公使館区域（当時の中国には大使館より格下の公使館が開設されていた）には、イギリス、ロシア、フランス、アメリカ、ドイツ、オーストリア＝ハンガリー、イタリア、オランダ、ベルギー、スペイン、日本の外国人九二五名、中国人三〇〇〇名が避難して立て籠もっていた。

そのため、ロシア、イギリス、フランス、アメリカ、ドイツ、オーストリア＝ハンガリー、イタリア、日本の八ヵ国からなる連合軍が出兵。日本は初めて列強と肩を並べて戦い、八ヵ国中最大の一万の兵を派遣し鎮圧に努めた。が、一方のロシア軍は、騒乱に紛れて満州を軍事占領してしまった。

籠城は八月一三日まで二ヵ月に及んだ。食糧や銃弾が尽きるなかで戦い抜き、各国将兵の戦死率はイタリア兵二四％、日本兵二〇％におよび、日本兵の戦傷率は五二％と、飛び抜けて高かった。

各国公使館の武官や兵士は四八一人しかいない。そのなかで柴五郎中佐は階級が一番高く、実戦経験も豊富だった。何よりも幼少期に会津城籠城戦を経験していた。

柴五郎中佐

籠城戦の総指揮官としてイギリス公使、クロード・マックスウェル・マクドナルドが就任すると、以前より親交があり、その経験と見識を評価していた柴五郎中佐に籠城戦の実践の指揮を委ねた。

英語、フランス語、中国語に堪能である柴五郎中佐は、最も激戦となった地区を担当した日本軍を率い、公使館防衛に獅子奮迅の活躍を見せた。そのため各国の外交官や婦人たちから感謝と尊敬を集めた。とりわけイギリス公使館が襲撃されたときには救援に駆けつけ、清国兵を撃退し、大いに感謝されたのだ。

以下、『守城の人』（村上兵衛著）によると、イギリスの作家、ピーター・フレミングが、当時の関係者の日記などをもとに『北京籠城』で、次のように記しているようだ。

「戦略上の最重要地である王府では、日本兵が守備のバックボーンであり、頭脳であった。日本を補佐したのは頼りにならないイタリア兵で、日本を補強したのはイギリス義勇兵だった。日本軍を指揮した柴五郎中佐は、籠城中、どの士官よりも有能で経験もゆたかであったばかりか、誰からも好かれ、尊敬された。当時、日本人とつきあう欧米人はほとんどいなかったが、この籠城をつうじてそれが変わった。日本人の姿が模範生として、みなの目に映るようになった。

日本人の勇気、信頼性、そして明朗さは、籠城者一同の賞讃の的となった。籠城に関する数多い記録の中で、直接的にも間接的にも、一言の非難も浴びていないのは、日本人だけである」

余談であるが、ピーター・フレミングは、スパイ映画『007』シリーズの原作者、イアン・フレミングの兄である。実際に柴五郎中佐の配下で戦った英義勇兵の一人は、前出の『守城の人』によると、概ね以下のように書き残している。

「日本軍が優れた指揮官を持っているということに気づくには時間がかからなかった。小柄な指揮官は、混乱を秩序よくまとめ部下の兵士だけでなく避難民も含めて組織づくりを見事に行い、前線を強化した。その指揮ぶりをみて、この人の下で死んでも良いと思うようになった」

また英公使館員は、日記で、こう絶賛した。

「王府への攻撃が極めて激しかったが、柴中佐が一睡もせず指揮を執った。日本兵が最も勇敢であることは確かで、ここにいる各国の士官のなかでは柴中佐が最も優秀だと誰もが認めた。日本兵の勇気と大胆さは驚嘆すべきで、我が英水兵が続いたが、日本兵の凄さはずば抜けて一番だった」

『守城の人』によると、一般居留民として籠城したアメリカ人女性、ポリー・スミスはこう書いた。

「柴中佐は小柄な素晴らしい人です。彼が交民巷で現在の地位を占めるようになったのは、一に彼の智力と実行力によるものです。最初の会議では、各国公使も守備隊指揮官も、別に柴中佐の見解を求めようとはしませんでした。でも、今ではすべてが変わりました。柴中佐は、王府での絶え間ない激戦でつねに快腕をふるい、偉大な士官であることを実証しました。だから今では、すべての国の指揮官が、柴中佐の見解と支援を求めるようになったのです」

籠城中、柴五郎中佐は、その人柄から誰からも好かれ尊敬された。それまで日本人と付き合う西洋人はあまりいなかったが、日本人の勇気、信頼性、そして明るさは、各国人から賞賛されたのだった。

「救出は日本の力によるものと全世界は感謝」と英紙

そして英タイムズ社説は、こう報じている。

「公使館区域の救出は日本の力によるものと全世界は感謝している。列国が外交団の虐殺とか国旗侮辱をまぬがれえたのは、ひとえに日本のおかげである。日本人ほど男らしく奮闘し、その任務を全うした国民はいない。日本兵の輝かしい武勇と戦術が、北京籠城を持ちこたえさせたのだ。日本は欧米列強の伴侶たるにふさわしい国である」

義和団は各国の出兵、特に日本軍によって鎮圧された。どさくさに紛れてロシアが満州を占領したことは記した。義和団による包囲網を解除すると、北京城内には各国が区域を設け、治安維持に当たった。

救援連合軍が北京へ入場すると、ロシアをはじめ各国軍兵士とマクドナルド公使ら外交官たちは、復讐心から、紫禁城の財物の略奪を盛大に行った。当時の欧米兵には略奪強姦は戦争の余録だった。

しかし規律の厳しい日本軍は、部隊として敵の官衙（かんが）（役所）の金品や米倉を差し押さえはしたけれども、個人的な略奪は行わなかった。

西太后の離宮として有名な頤和園（いわえん）も、はじめ日本軍騎兵第五連隊が占領したが、豪華な装飾品や宝石などには手を触れることなく守った。ところが数日後、ロシア軍が塀を乗り越えて侵入し、大々的な略奪を行い、居座った。小部隊では制止できず、師団司令部に報告したが、司令部としては連合軍同士で事を構えるわけにもいかず、日本軍は黙々と撤収した。

そのなかでロシア軍兵士は清国の財物を強奪した。英軍兵士も略奪行為に参加し、手に入れた骨董品（こっとうひん）類や宝石を、公使館のなかでオークションをして売ったとされる。

渡部昇一氏の著者『日本とシナ』には、「イギリス、アメリカの管轄区域はフランスやロシアの区域よりは良かった。しかし、日本軍のそれと比べると遠く及ばなかった」という証言が載せられている。

日本軍は規律正しく治安が維持されていたため、ロシアの区域から日本の区域に避難する人が洪水のように流れていったという。

「日本武士道は西洋騎士道である」

この日本の信頼に足る行動はイギリスのマクドナルド公使の目に留まり、「日本人こそ最高の勇気と不屈の闘志、類稀なる知性と行動力をしめした、素晴らしき英雄たちである。彼らのそうした民族的本質は国際社会の称賛に値するものであり、今後世界において重要な役割を担うと確信している。とりわけ日本の指揮官だった柴五郎陸軍砲兵中佐の冷静沈着にして頭脳明晰なリーダーシップ、彼に率いられた日本の兵士らの忠誠心と勇敢さ、礼儀正しさは特筆に値する。十一ヵ国のなかで、日本は真の意味での規範であり筆頭であった。私は日本人に対し、ここに深い敬意をしめすものである」（松岡圭祐著『黄砂の籠城・下』）と、公式の場で表明した。

柴五郎中佐はその後、イギリスのビクトリア女王をはじめ各国から勲章を授与され、「ルテナント・コロネル・シバ」（柴中佐）として広く知られるようになり、日本軍および日本に対する評価も高まった。

日本軍は略奪をしなかっただけでなく、女性に対しても節度と礼儀ある態度を貫いた。この姿勢に西洋列強各国の公使館関係者夫人たちは、柴五郎中佐の「騎士道的ジェントルマン」ぶりを称賛した。「サムライ・ジェントルマン」として世界で認められた第一号となったのだ。そしてこの行動が、その後の「日英同盟」の背景となったことは、紛れもない事実である。

マクドナルド公使は「侍魂」を持つ柴五郎中佐と日本兵の礼節と勇気に感動し、「日本武士道は西洋騎士道である」と称賛した。そして「日本人以外に信頼しうる人々は他になし」との信念から、「東洋で組むのは日本」と確信し、これが日英同盟の締結につながった。背景には一八九六年以来、「光輝ある孤立」を標榜（ひょうぼう）していたイギリスが、義和団事件以降も満州から撤退しないロシアを牽制する必要性もあった。イギリス単独で中国における利権を確保することには限界があると認識したのだ。

マクドナルド公使は帰国後、ロバート・ガスコイン＝セシル首相（ソールズベリー侯爵）を説得し、イギリスのアジア政策と「光輝ある孤立」政策を棄却する転換を促した。そこに柴五郎中佐の活躍があったことは、間違いない。イギリスにとって信頼すべき日本人の先駆者となったのである。その意味では、柴五郎中佐が日英同盟を締結した陰の主役である。

そこでマクドナルド公使は、ロンドン在住の林董（はやしただす）公使に「日英同盟」を提案。林公使は日露協商締結に流れが向かうなか、外務大臣・小村寿太郎（こむらじゅたろう）から全権を委任されて、日英同盟の交渉を詰めた。

日露協商か日英同盟か

林が駐英公使に任命されたのは一九〇〇（明治三三）年二月、後に外相、首相となる加藤高明（かとうたかあき）の後任だった。当時、日本政府はまだ海外に大使を派遣しておらず、公使が最高職だった。

林はロンドンに赴任する前に、東京で英タイムズ紙の北京駐在特派員だったジョージ・アーネスト・モリソンのインタビューを受け、「自分が駐英公使をしているあいだにイギリスとの同盟関係を成立させたい」と語り、同盟締結に並々ならぬ意欲を持っていた。

ところが、朝鮮半島における権益を守りたい当時の日本政府の外交戦略は、揺れていた。主流だった伊藤博文ら元老らは、むしろ膨張政策を続けるロシアとの妥協に傾きつつあった。したがって、ロンドンに赴任する林に同盟締結に対する特別の権限は与えられなかった。それでも渡英した林は、将来に備え、伏線を敷く作業を怠らなかった。

当時の日本政府は、東アジアにおける日本の利益をめぐって、伊藤博文ら元老グループが日露協商を訴え、桂太郎（かつらたろう）内閣の外相で林とコンビを組んだ小村寿太郎や元老の山縣有朋（やまがたありとも）らが日英同盟を主張し、論争となっていた。そして、ロシアの満州進出に対抗してドイツが提唱した日英独協定構想からドイツが抜け、日英同盟が浮上した。このとき東京の中枢では小村が体を張って日英同盟を推進していた。

また一九〇〇年七月に赴任した林は、一六歳でイギリスに留学してから錬磨してきた英語を駆使し、ロンドンのメイフェアのバークレースクエアにあったランズダウンハウスに通いつめた。ヘンリー・ペティ＝フィッツモーリス外相（ランズダウン侯爵）の懐に飛び込むためだ。

ランズダウンハウスは現在、会員制のジェントルマンクラブとして使用されている。林は教養のある紳士だった。ランズダウン外相は林に対し、「日本人は礼儀正しく、秩序正しく、信頼できる」という評判を伝えた。これは中国に対するイギリスの認識と対照的だった。さらに「一九〇〇年の義和団事件におけるロシアの満州占領は、中国でイギリスの利益を、朝鮮で日本の権益を脅かした」との考えで一致した。

一九〇一（明治三四）年四月、非公式にランズダウン外相と日英同盟交渉を始めた林の頭を悩ませたのは、交渉がヤマ場となる一九〇一年一一月から、日本政界における最大の実力者、元老筆頭の伊藤博文がロシアを訪問することだった。林は、伊藤の訪露がイギリスから「二元外交」と判断されることを危惧していたのだ。

ランズダウン外相の説得を受けて同盟推進派に転じた首相のソールズベリー侯爵から、一九〇一年一一月に日英同盟の草案が示されると、日本政府の要請を受け、林はパリ訪問中の伊藤を訪ねた。そして、日露協商を断念するように説得する。

すると、その後、ペテルブルク（現在のサンクトペテルブルク）を訪れた伊藤は、皇帝ニコライ二世や政府の最高実力者であるウラジーミル・ラムスドルフ外相らと会談したが、意見交換にとどめた。そして同年一二月二四日からイギリスを訪問した。このときイギリス側は、国王への二度の謁見や首相主催の晩餐会への招待、首相および外相との会談、最高級の勲章の授与など、最上級の歓迎で、日本の「ロシア派」の懐柔を図った。

最終的には、一九〇〇年の義和団事件後も満州から撤退しないロシアに対する警戒感が強まり、日本の国論は日英同盟論に決した。伊藤の親露協調は潰えたのだ。

こうして一九〇二（明治三五）年一月三〇日、林公使の努力が実り、歴史的ともいえる「日英同盟」が締結される。署名はランズダウンハウスだった。世界が日本を一流近代国家と認めた瞬間だ。

ロンドン・スクール・オブ・エコノミクス（ＬＳＥ）のイアン・ニッシュ名誉教授は、「あるイギリスの外交官は林こそ日英同盟の原動力と評価している」と、林が果たした役割の大きさを評している。

なお日露戦争後、在英日本公使館は大使館に昇格し、林董は日本の外交官初の大使となった。そして帰国後、第一次西園寺公望内閣で外相として入閣、第二次西園寺内閣では逓信相となり、一時は外相も兼任した。

日英同盟は、日本政府がロシアとの戦争を想定して結ぼうとしたのではなく、イギリスがロシア南下の抑止力となることを期待してのものだった。

日露戦争で「情報部」となったロンドン公使館

日英同盟は一九二三（大正一二）年八月一七日に失効するまで、二一年間、日本外交の基盤となった。当時、世界最強の海軍国だったイギリスとの同盟なしに、日露戦争の勝利もなかった。日本が第一次世界大戦後、「五大国」の一員として国際舞台に登場することもなかっただろう。

重要なことは、朝鮮における日本の支配権をイギリスが認め、インドにおけるイギリスの支配権を日本が認め、清国に対しては両国の機会を均等に認め合ったことだ。アジアの新興国だった日本と覇権国家のイギリスが、対等のパートナーになったのである。

軍事同盟だった日英同盟は、締結国が他国の侵略的行動（中国と朝鮮を対象）に対応して交戦に至った場合、同盟国は中立を守り、二国以上との交戦となった場合には、同盟国は締結国を助けて参戦することを義務付けた。それに従って、日露戦争では、イギリスは好意的中立を守った。

が、反体制運動を扇動して帝政ロシアを背後で揺さぶった陸軍の明石元二郎の諜報活動を支援したり、バルチック艦隊が日本海まで遠征する際に各国に補給のサボタージュを求めたり、日本を側面支援した。

イギリスからのインテリジェンス（諜報）協力は大きかった。その中心となったのがロンドンの公使館だった。さながら情報部のような機能を果たし、駐在陸軍武官の宇都宮太郎大佐（後の陸軍大将）を中心に、極秘の情報収集を行った。

たとえば、イギリスがアフリカやアジアに持つ植民地からの情報ネットワークを活用し、バルト海から日本海に向かうロシアのバルチック艦隊の動向を入手した。ときどき訪れる明石と宇都宮は緊密な連携を取り、ヨーロッパ全域で反ロシア運動の工作も重ねた。さらに明石と気脈を通じ、反ロシア体制運動を主導したフィンランド反抗過激派党の指導者、コンニー・シリヤスクに対し、日本公使館は資金提供を行った。日露戦争後、フィンランドはロシアから独立し、シリヤスクは家族でイギリスに亡命。その後、イギリスの市民権を得た長男は、イギリスの下院議員として活躍した。

第一次世界大戦では、日本はイギリスの要請を受け、連合国の一員として日本海軍の特務艦隊が、マルタ島を中心とする地中海まで遠征した。そして連合国側の輸送船団護衛作戦に従事、「地中海の守護神」として活躍したが、詳しい内容は後述する。

「日英同盟のゴッドファーザー」とは誰か

もう一人、日英同盟を導いた陰の立役者がイギリス側にいた。英タイムズ紙北京駐在特派員、ジョージ・アーネスト・モリソンである。一九世紀末から二〇世紀初頭にかけての英タイムズ紙で、日本兵の武勇と団結の素晴らしさを何度も絶賛する報道に徹したからだ。

モリソンは、満州を占領したロシアが財物を略奪するなどモラルのなさを世界に強調する一方、日本兵の勇敢さ、文明国にふさわしい規律正しさを知らしめた。日本軍は連合国八ヵ国のなかで最も多くの戦死者を出しながら、他国軍に横行していた略奪行為は一切働かず、紳士的な態度で戦いに挑んだ、と伝えた。イギリスに赴任する前の林公使にインタビューし、日本がイギリスと手を携えてロシアの野望を打ち砕く構想を抱いていることを聞いたからなのか、モリソンは日英が同盟を結ぶことを肯定的に受け止めていた。

一九世紀末から二〇世紀初頭にかけての英タイムズ紙の親日的報道については、特派員のモリソンが果たした役割が大きい。イギリスが日本と同盟を結び、日露戦争で日本の後押しをするに至った歴史には、英タイムズ紙が大きく寄与している。

オーストラリア出身のモリソンは、イギリスで医学を学んだ。しかし、ジャーナリストになる夢を抱いていた。旅行家でもあり、世界各地を旅行し、紀行文を新聞などに発表していた。そして出版した旅行記が英タイムズ紙の記者に注目され、英タイムズ紙北京駐在特派員の職を得たのが一八九七年、日清戦争の二年後のことだった。以後、モリソンは北京で、義和団事件、日英同盟締結、日露戦争と続く世紀転換期の激動を、ロンドンに送り続けた。

幾多のスクープを含むその記事は、モリソンしか知りえない情報源に基づくものが多く、英タイムズ紙の東アジア報道は、頭一つ抜けていた。モリソンおよび英タイムズ紙は、国益に忠実なメディアという立場からではなく、特派員が外交官の役割を演じ、新聞が世論を動かし、国の政策を一定の方向に導いたともいえる。英タイムズ紙を「日英同盟のゴッドファーザー」と呼んだ同時代人もいた。

残念なことに、日露戦争に勝利した日本が中国大陸の奥深くまで進攻するに至って、親日だったモリソンは中華民国政府の顧問に転じた。そして反日へと姿勢を変化させた。

モリソンが親日報道を行ったのは、あくまでもロシアの満州進出を抑えるためだった。日本とイギリスを同盟させ、日本を支援してロシアを打破することで、イギリスの利益を守ろうとしたに過ぎない。ゆえに、日露戦争に勝利した日本が南満州と朝鮮に特権的地位を築いて台頭したことが面白くなかったのだろう。モリソンは筆鋒を一転し、日本の大陸政策を攻撃、そして中華民国政府の顧問に転じたのは、歴史の皮肉というしかない。

会津戦争が生んだサムライ・ジェントルマン

さて、会津人ながら陸軍大将まで上り詰め、世界で「サムライ・ジェントルマン」として認められた柴五郎は、どのような人だったのか。

一八五九（安政六）年、柴は、会津藩士の柴佐多蔵の五男六女の五男として生まれた。柴家は会津藩の世臣を勤め、佐多蔵は二八〇石の御物頭だった。厳格な父親と母親の愛情を一身に受け、柴は仲の良い兄弟姉妹のなかで育った。

そして、「年長者のいうことを聴かねばなりませぬ。年長者にはお辞儀をしなければなりませぬ。嘘をいうてはなりませぬ。卑怯な振る舞いをしてはなりませぬ。弱い者をいじめてはなりませぬ。戸外で物を食べてはなりませぬ。戸外で婦人と言葉を交わしてはなりませぬ。ならぬことはなりませぬ」という会津の教えを守り、幸せに過ごしていた。

事態が一変したのが一〇歳のときだった。戊辰戦争が起こり、西軍が会津に殺到。白虎隊の悲劇が生じたのが会津戦争である。

このとき会津城が落城すると、戦場の男たちの足手まといにならぬよう、五郎の祖母、母、姉、妹たちは自害した。幼くして生き残った五郎は柴家の未来を託され、親戚の家へと逃がされた。

その後、戊辰戦争で領地を没収された会津藩は再興が許されたが、下北半島の極寒の地、斗南藩(となみはん)に移封(いほう)、追いやられた。ここで父親と兄嫁、そして五郎の生活が始まるが、住まいは掘っ立て小屋。布団すらなく、屋内の囲炉裏端(いろりばた)でさえ、夜は零下一〇度以下。凍死を避けるため、家族が身を寄せて眠るしかなかった。極寒のみならず、土地は痩せた火山灰地で作物も穫れず、飢餓(きが)とも闘った。会津藩のときに三〇万石あった禄高は、斗南藩となり三万石に減らされ、実収は七〇〇〇石しかなかった。

飢えることになるのは当然だった。五郎は、こう記している。

「その男、犬の死体を曳(ひ)ききたり、納屋にて解体、半分を持ちて去れり。その日より毎日犬の肉を喰らう。初めは美味(うま)しと感じたるも、調味料なく、塩にて煮たるばかりなり。しかも大犬のことなれば、父と余が毎日喰らいてもなかなかに征服できず。兄嫁は気味悪がりて最初より箸もつけず。余にとりては、これ副食物ならず、主食不足の補いなれば、無理して喰らえども、ついに咽喉(のど)につかえて通らず。口中に含みたるまま吐気を催すまでになれり。この様を見て父上余を叱る。『武士の子たることを忘れしか。戦場にありて兵糧(ひょうろう)なければ、犬猫なりともこれを喰らいて戦うものぞ。ことに今回は賊軍に追われて辺地にきたれるなり。会津の武士ども餓死して果てたるよと、薩長の下郎どもに笑わるるは、のちの世までの恥辱なり。ここは戦場なるぞ、会津の国辱雪ぐまでは戦場なるぞ』」（石光真人編著『ある明治人の記録―会津人柴五郎の遺書』）

会津人としての苦難を経験した五郎は、その後、様々な人の世話になりながら、陸軍幼年学校に入学、陸軍士官学校にも進み、職業軍人となった。陸軍幼年学校の旧三期生で同級生に、日露戦争で活躍した司馬遼太郎の『坂の上の雲』の主人公、秋山好古がいた。その頃の教官はすべてフランス人で、授業もフランス語で行われていた。必死の思いでフランス語を学んだ。語学の才能があったのだろう、フランス語のみならず、英語や中国語も習得したのである。

卒業後、陸軍大尉として在英日本公使館の武官を長く務め、在米日本公使館の武官の頃、米西戦争におけるキューバ上陸作戦を観戦した。諜報活動を兼ねながら、北京から朝鮮を縦断し、日本まで旅行したこともあった。実践的にフランス語、英語、中国語を習得し、各国の文化や国民性も深く学んだ。陸軍きっての国際派の一人だった。

また日清戦争にも従軍した「中国通」で、一八九九年に陸軍中佐として清国駐在武官として北京に赴任。間もなく義和団事件に巻き込まれたのだった。

この明治人の国際性が、義和団による籠城戦で、大いなる威力を発揮した。義和団から解放された北京の日本占領地区は、五郎を責任者として厳格に統治され、暴動や略奪の類が一切なかった。それは、悲惨な会津戦争を体験した五郎ならではの対応だった。戊辰戦争の経験が生かされたといってもいいだろう。

帰国後、五郎は宮中に参内、明治天皇の御前で北京籠城の経緯を上奏する栄誉を得た。逆賊のレッテルを貼られた会津の国辱を晴らしたのだ。五郎にとって感慨深いものだったに違いない。

戊辰戦争で逆賊とされ、想像を絶する苦難のなかを生き延びた五郎には、深い悲しみの経験を胸に秘め、前へ進むひたむきさがあった。難事に当たっても武士道を貫く会津魂が、当時のイギリス人をはじめ、世界中の人々の心を捉えたのだ。

日英同盟締結のきっかけを作った陰の立役者である柴五郎は、最終的に、陸軍大将勲一等功二級、台湾軍総司令に上り詰めた。そして第二次世界大戦の終戦に際し、自決を試みた。老齢のため果たせなかったが、その傷がもとで病死した。享年八五。郷里の会津若松市の恵倫寺に墓所があり、かつて兵営があったところに生家跡を示す石碑が建てられている。

第8章　イギリス人が誇る東郷元帥と戦艦「三笠」

河野外相と小野寺防衛相が驚いた古い肖像写真

「アドミラル・トーゴーの写真だ。あの対馬沖海戦（日本海海戦）の半年前に撮られた」

ロンドン南東の郊外。子午線が通り、世界標準時を定めた旧王立天文台があり、ユネスコの「世界遺産」に登録されたグリニッジで、二〇一七年一二月一四日に開催された第三回日英外務・防衛閣僚会合（「2プラス2」）。日本の河野太郎外相と小野寺五典防衛相と、イギリスのボリス・ジョンソン外相、ギャビン・ウィリアムソン国防相（いずれも当時）の四大臣は、会場となった国立海事博物館に隣接するクイーンズ・ハウスで、同博物館が所蔵している英海軍のウィリアム・ペケナム提督の日記と東郷平八郎元帥の古い肖像写真に見入って、思わず声を上げげた。

ペケナム提督は、日露戦争当時に駐日海軍武官を務め、観戦武官として戦艦「朝日」から、ロシアのバルチック艦隊を破った日本海海戦を目撃した。海軍大佐として日本に赴任したペケナム氏は、後に大将に昇進した英海軍のホープで、日本の連合艦隊長官として日本海海戦の指揮を執って勝利に導き、イギリスなど欧米で「東洋のネルソン」と呼ばれた東郷平八郎元帥と親しく交流していた。

四大臣が感銘を受けたのは、ペケナム提督が日露戦争について記した日記（一九〇五年）と、ペケナム提督が招いた夕食会に出席を伝える東郷元帥自筆の手紙に同封してあった自身の

ペケナム提督の日記（英国立海事博物館所蔵）

PKM/2/13

Tokio. 5th January 1906

Dear Captain Packenham.

I have much pleasure in accepting your kind invitation the 7th instant at 8 oclock, Mrs Togo regrets that a previous engagement prevents her from accepting your kind invitation.

yours sincly.

H. Togo

82/131

東郷平八郎の写真と手紙（英国立海事博物館所蔵）

肖像写真だった。日英の深い歴史交流がうかがえるからだ。

「Dear Captain Pakenham」で始まる手紙は、東京の一九〇五（明治三八）年一月五日付で、難攻不落の旅順要塞を陥落させた四日後に当たる。

「一月七日の午後八時から開かれるあなたの招待を喜んで受け入れ、参加させていただくことを楽しみにしております。ただし妻は参加することができません」と東郷元帥が自筆で書き、最後に「H. Togo」と署名している。ペケナム提督が開く旅順陥落の祝宴に、肖像写真を贈ることで、来る世紀の決戦に必勝の決意を示したのだろう。

また写真は、東京・九段の写真館が海軍の軍服を着た東郷元帥を撮影したもので、下に手書きで「Admiral H Togo」と書かれている。東郷は一九一三（大正二）年に元帥号を受けていることから、大切に保管していたペケナム提督が日露戦争後に書いたと見られる。

日露戦争では、欧米諸国から多数の観戦武官が参加したが、日英同盟を結んだイギリスからの派遣が最多の三三人。ペケナム提督は東郷元帥と最も親交が厚く、一人で戦艦「朝日」に乗船し、対馬沖の最前線で世紀の日本海海戦を観戦した。

「東洋のネルソン」と呼ばれた東郷元帥

東郷元帥が手紙を書いた三日前の一九〇五年一月二日、ロシア軍が降伏を申し入れ、約一五〇日に及んだ旅順攻略戦が幕を閉じた。四大臣に説明した同館のアンドリュー・リン学芸員は、「ペケナム提督は、戦局のターニングポイントだった旅順攻略を祝して東郷元帥を招き、夕食会を開いた。東郷元帥は自らの肖像写真を贈り、その二ヵ月前にバルト海から極東に向けて出港したロシアのバルチック艦隊との決戦に向けて、必勝の決意を示したのではないか」と分析している。

祝宴から約五ヵ月後の同年五月二七日、東郷元帥率いる連合艦隊は、対馬沖でバルチック艦隊を撃破し、歴史的勝利を挙げた。ペケナム提督の日記にも、五月二七日、「バトル（戦闘）」と書かれている。

この東郷元帥の写真は、「２プラス２」会合に当たってイギリス側が用意したものだ。イギリス側が「東洋のネルソン」とされる東郷元帥の顰（ひそ）みに倣（なら）って、日本との関係を強化しようという意気込みがうかがえる。

バルチック艦隊を撃破した東郷元帥とペケナム提督の交流を知って意気投合した日英の四大臣は、「グローバルな戦略的パートナーシップ」と高らかに共同声明を発表した。そして、日本が主導する「自由で開かれたインド太平洋構想」にイギリスも参画し、日英両国がアメリカと並び、実質上の同盟国（準同盟国）として、安全保障協力をさらに深めていく方針が明確にされた。これも自然な流れだった。

東郷元帥が「東洋のネルソン」と呼ばれるのは、トラファルガー海戦でスペインとフランスの連合艦隊を撃破した隻眼隻腕のイギリス随一の英雄、すなわちホレーショ・ネルソン提督とよく似ているからだ。牧師の息子に生まれ、艦長を務めた叔父を頼って海軍に入ったネルソン。アメリカ独立戦争に参戦し、ナポレオンによる英本土侵攻を防ぎながら、戦闘中に狙撃されて非業の戦死を遂げた。ロンドンのトラファルガー広場には、ネルソン記念柱の銅像が、いまもフランスの方角を向いて立っている。その下には百獣の王、ライオンが鎮座している。

ネルソンは過去の常識に囚われず、トラファルガー海戦では、「ネルソン・タッチ」と呼ばれる縦陣でスペインとフランスの連合艦隊の横腹に突入し、フランス軍艦二七隻を撃沈した。完膚なきまでに敵艦隊を撃破し、勝利したのだ。「東郷ターン」と呼ばれるT字戦法でバルチック艦隊に対して劇的な勝利を収めた東郷元帥に、イギリス人や欧米人がネルソンとの類似性を見出したことにも頷けるだろう。

トラファルガー海戦で、ネルソン提督は、「イギリスは、各員がその義務を尽くすことを期待する」と部下を鼓舞したが、東郷元帥も帝政ロシアのバルチック艦隊との決戦を前に、「皇国ノ興廃此ノ一戦ニアリ」と宣言し、士気を高めた。

ネルソン提督は、旗艦「ビクトリー」甲板で指揮を執っている最中に仏軍に狙撃されて命を落とした。東郷元帥も、「東郷ターン」で艦隊の先頭を切り、敵前で舵を切ってロシア側の猛烈な攻撃を受けても物ともせず、旗艦「三笠」の艦橋に仁王立ちして、勇猛果敢に指揮を執り続けた。

英海軍ではネルソン提督に敬意を表し、彼が率いて勝利した三大海戦（ナイル海戦、コペンハーゲン海戦、トラファルガー海戦）を記念して、水兵服に三本の襟線が入れられている。日本海軍は、水兵服も英海軍を手本にしたため、なぜか日本の女子学生のセーラー服も、襟線が三本である。

「神に感謝する、私は義務を果たした」

海戦の勝利を見届けて旅立ったネルソン提督のために、イギリスでは、君主以外の人物としては歴史上初めてとなる大規模な国葬が、セントポール大聖堂で執り行われた。そして遺体は、大聖堂の地下に埋葬された。二〇〇年以上経った現在も、ネルソン提督にまつわる多くの逸話が残されているのは、勝利への強い執念、戦場における粘り強さ、類稀（たぐいまれ）なる軍才に、国民が敬愛の念を寄せ続けているからだ。

提督として銃弾飛び交う最前線で指揮を執り続け、ナポレオンの攻勢からイギリスを守り切ったネルソン提督。海を制した「英雄」は、現在でも根強い人気と憧（あこが）れをもって語り継がれている。

そして東郷元帥も、「東洋のネルソン」として、イギリス人に敬愛されているのである。

ウェールズ人の「東郷銀杏」帰郷運動

世界最強といわれたロシアのバルチック艦隊を撃滅して、日露戦争を勝利に導いた日本の英

東郷元帥ゆかりの銀杏

雄・東郷元帥を称える銅像が、鹿児島市の多賀山公園、横須賀市の三笠公園などに建てられた。そして東京の原宿には、戦時中の空襲で焼失した東郷神社が一九六四年に再建されている。

明治初期に約七年間、官費留学したイギリスでも、東郷元帥を顕彰するイギリス人が少なくない。

英海軍工廠があったウェールズのペンブロークでは、日本海軍の軍艦、初代「比叡」（コルベット艦）を建造したが、留学中の東郷平八郎が艤装員として監督した。そして一八七八年に留学を終えて帰国する際、横浜まで回航した縁があり、東郷らが滞在した英海軍将校用宿舎の庭に、謝意を込めて銀杏の木が植樹されたとされる。その銀杏の木は、約一四〇年、地元の人々が大切に育て、大きく成長した。そのため地元ウェールズの人たちが、苗木の一部を日本の東郷元帥ゆかりの地に「帰郷」させる計画を進めた。

初代「比叡」は、英海軍工廠があったペンブロークドックのミルフォード・ヘブン造船会社で起工され、イギリスに留学中の東郷が、一八七八年二月に横浜に向けて回航した。

ペンブロークドックで一八七七年六月に行われた「比叡」の進水式で、ロンドンから特別列車を仕立てて駆けつけた上野景範駐英特命全権公使らが、「日本政府からの謝意」の印として銀杏をイギリス側に寄贈した。留学生としてロンドン・グリニッジに滞在していた東郷が、艤装員として滞在したジョージアン様式の四階建て英海軍官舎の裏庭に、銀杏は植えられた。

その後、東郷が「比叡」に乗って一八七八年五月に帰国。日本海海戦でロシアを破る大活躍をして、世界的に有名になったため、地元では「東郷元帥ゆかりの銀杏」として語り継がれてきた。官舎の現在の所有者は、改装して「東郷元帥ゆかりのB&B（民宿）」として一般開放を検討している。

この銀杏が官舎の高さを超えるまで大きく成長したため、地元の郷土史家、デービッド・ジェームズさんは、「銀杏を日英友好のシンボルとして日本に里帰りさせたい」と、二〇一七年からボランティアで活動を始めた。ウェールズのスウォンジー在住の元航空自衛隊空将補、松井健氏夫妻や、ウェールズ政府で広報部長を務めたベット・デービスさんらが協力して、二〇一七年から銀杏の枝や葉の一部を切り取り、土に挿して発芽させる「挿し木」をウェールズ国立植物園に依頼。同園の園芸家が無償で苗木一五株を約四〇センチにまで育てた。

日英両国で東郷元帥が尊敬されている証し

筆者が所属する産経新聞の国際面で、東郷元帥ゆかりの銀杏の苗木を日本に里帰りさせる計画がイギリスのウェールズの市民によって進められていることを報じたところ、東京・原宿の東郷神社を皮切りに、旧海軍鎮守府があった広島県呉市、京都府舞鶴市、長崎県佐世保市、神奈川県横須賀市の旧軍港四市が、次々と受け入れに名乗りを上げた。さらに東郷元帥の出身地で、多賀山公園に東郷元帥の銅像が立つ鹿児島日英協会（島津公保会長）、東郷元帥の邸宅の跡地である東郷元帥記念公園がある東京都千代田区の区議会議員からも、移植の希望が伝えられた。

ところが苗木を日本に輸入するには、植物防疫所で、病害虫の侵入を防ぐための検疫をパスしなければならない。日本の植物検疫は厳格だとの定評がある。ジェームズさんらが途方に暮れていたところ、在英日本大使館の防衛駐在官だった野間俊英一等海佐が、農水省から出向していた大使館員を通じて植物防疫所に問い合わせてくれた。その結果、病害虫が付着していなければ、複雑な手続きを経ることなく検疫もクリアできることが分かった。さらに、イギリスから輸出許可も得られることが分かった。

問題は、日本への輸送だった。手弁当で銀杏の苗木の里帰り運動を続けたジェームズさんたちは、日本への輸送費用の工面がつかず、計画が一時暗礁に乗り上げた。すると、産経新聞の報道で銀杏の里帰り運動を知った日本郵船の「NYK Group Europe」社副社長兼チーフオペレーティングオフィサー（現日本船主責任相互保険組合営業戦略部専任部長兼業務部専任部長）の久保田圭二氏が、手を差し伸べてくれた。第一次世界大戦末期の一九一八年にウェールズ沖でドイツ潜水艦に撃沈され、乗組員と乗客合わせて二一〇人が犠牲になった日本郵船の貨客船「平野丸」の慰霊碑を、ジェームズさんが地元の教会に再建してくれたという恩義があったからだ。久保田氏が本社と掛け合ったところ、日本郵船関連会社の「郵船ロジスティクス」が無償で空輸を引き受けることになった。

次の難問は、イギリスで育てた銀杏の苗木を日本に移植するには、日本に輸入後、ひとまず日本の植物園の土壌で養生する必要があることだった。そこで再び、産経新聞国際面で、「手弁当で育ててくれる植物園が見つかることを期待している」と書いたところ、最終受け入れ先の一つとして名乗りを上げた呉市文化スポーツ部の神垣進部長が、広島市植物公園の林良之園長を訪ね、協力を要請してくれた。すると、「栽培に関する技術スタッフもおり、協力できる」との快諾を得て、無償で苗木を日本の土壌に慣らしてもらえることになったのだ。

こうして東郷元帥ゆかりの銀杏の苗木一五株が、二〇一九年一二月二四日、郵船ロジスティクスによって、栽培育成したウェールズ国立植物園から広島市植物公園に届けられた。

同二四日に行われた受け入れ式では、運搬した郵船ロジスティクス中国の矢内伸弘社長が、呉市文化スポーツ部の神垣進部長に苗木を手渡すと、神垣部長が「日英友好の歴史の証人として長く引き継いでいきたい」という新原芳明市長のコメントを代読した。

産経新聞で報じた筆者の記事を媒介に、東郷元帥ゆかりの銀杏を日本に里帰りさせる、という善意の輪が日英で広がり、結実した格好だ。日英両国で東郷元帥が尊敬されていることの証しだろう。

苗木一五株は、広島市植物公園で、見事に日本の環境に慣らされた。このうちの二株は、呉市の入船山記念館敷地内にある旧東郷家住宅離れの近くの庭に植樹された。これは、旧日本海軍の呉鎮守府(くれちんじゅふ)開庁一三〇周年記念事業の一環として、開庁から一三一年目に当たる二〇二〇年七月一日、新原芳明呉市長らが出席して行われた。

九二年ぶりの英海軍連絡士官の功績

この植樹セレモニーでは、新原呉市長が、「呉の鎮守府開庁から一三一年目に当たる本日、多くの方たちのご尽力(じんりょく)で、貴重な苗木を迎えられたことに感謝し、呉市の財産として大切に育てたい」と挨拶すると、駐日英大使館国防武官のサイモン・ステイリー大佐は日本語で、「イギリス・ウェールズを代表して来た。一八六〇年代にウェールズ産の鉄を使用して日本で最初の鉄道を建設したように、ウェールズと日本の関係は深い。銀杏は生命力が強靭(きょうじん)で、樹齢も一〇〇〇年以上だといわれる。東郷銀杏の帰郷で、日英関係がさらに強固になることを祈る」と述べた。大きな拍手が起こった。

ステイリー大佐は、二〇一五年二月から、英海軍から海上自衛隊への連絡士官として赴任している。米軍以外からは初めての連絡士官であり、大使館の駐在武官以外に英海軍が連絡士官を赴任させたのは、日英同盟以来九二年ぶりのことだった。

その着任式は、横須賀に置かれた記念艦「三笠」艦内の司令長官室で行われた。「三笠」はイギリスのバロー・イン・ファーネスの造船所で建造され、日英同盟が発足した一九〇二年に就役した。一九〇五年五月の日本海海戦では、東郷元帥が指揮する日本海軍連合艦隊の旗艦だった。

こうしてステイリー大佐は、自衛艦隊司令部（神奈川県横須賀市）の一室に専用机を持ち、ソマリア沖・アデン湾での海賊対処活動における日英連携や情報交換などを行った。海上自衛隊と英海軍の直接連絡が可能となったのだ。

また、横須賀基地に拠点を置く米海軍第七艦隊が英海軍から受け入れた初の参謀として連絡士官も兼務し、アジア太平洋における日米英の安保連携の可能性も模索するなど、日英防衛協力の最前線で汗をかいた第一人者だ。日米英三国で東シナ海における北朝鮮船の「瀬取り」を摘発したのも、連絡の中枢にあったステイリー大佐の功績だった。

こうした経験があったからか、連絡士官の勤務を終えて本国イギリスに戻ったのち、二〇一九年八月、駐日英大使館国防武官として再び日本に赴任したステイリー大佐は、東郷元帥ゆかりの銀杏が里帰りするプロジェクトの趣旨に賛同した。そうして植樹式に参加し、セレモニーで東郷銀杏の里帰りの意義を強調したのである。

プロジェクトを進めたデービッド・ジェームズさんも、「我々が大切に育てた、この特別の木を日本の東郷元帥ゆかりの地にお返しする運動を通じ、たくさんの友人ができて、たくさんの喜びを分かち合った。銀杏が呉市に帰郷したことで、日本人とイギリス人が互いに異なる文化をさらに理解し合い、友情を深めることになると確信する。セレモニーに参加されたすべて

呉市における東郷銀杏の植樹式（右端がステイリー大佐、左端が著者、呉市ホームページより）

の方に敬意を表し、日英の友好親善がいっそう深まることをお祈り申し上げる」との祝辞を送った。

式典後、新原市長は、「東郷元帥のつながりで英海軍と呉市がつながったことは、とても嬉しい。呉鎮守府一三一年の歴史のなかで記念すべき日となった」と喜びを語った。また銀杏の里帰りプロジェクトを支援した鶴岡公二・前駐英大使は、「まさに歴史に残る偉業を達成された。心から感謝申し上げます」と述べた。

呉市に続き東郷神社は、八月に苗木を移植した。また鹿児島市では、鹿児島日英協会が主体となって植樹が行われるほか、神奈川県横須賀市、京都府舞鶴市、長崎県佐世保市などでも二〇二一年以降、銀杏の苗木を帰郷させる予定だ。これら旧海軍軍港四市が協力し、「東郷元帥ゆかりのイチョウ」と銘打った共通のプレート（銘板）も作成した。これを植樹する銀杏の近くに立て、東郷元帥を通じて日本とイギリスの友好の証しとして市民に開放する。

「東郷銀杏」を媒介に民間の日英交流が進んだことについて、ペンブロークシャー州議会のエイデン・ブリン議長は、「東郷ゆかりのペンブロークで日英交流を発展させたい」と述べている。地元ペンブロークシャーでは、「東郷銀杏」を「帰郷」させたあと、呉市などと姉妹都市提携などを進め、日本との友好関係を拡大させたいとの意見も広がっている。

イギリスでは、鶴岡公二・前駐英大使、野間俊英（のまとしひで）・前防衛駐在官のほか、在英日本商工会議所会頭を務めた欧州三菱商事の狩野功（かのういさお）前社長、前述した日本郵船の久保田圭二氏らが中心になってプロジェクトを進めた。日本では、ポール・マデン駐日英大使も、「たいへん有意義で興味深い企画。ジェームズさんらを日本に招待してあげたら盛り上がる」と評した。英大使館も、日英関係発展のため、草の根交流を支援した。

筆者が国際面に執筆した小さな新聞記事を媒介として日英両国で善意の輪が広がり、友好親善に寄与できたかと思うと、感慨深い。

イギリスに桜六五〇〇本の植樹計画

東京都内で有数の桜の名所、千鳥ケ淵（ちどりがふち）――ここが桜の名所となったのは、一八九八年、第六代駐日英公使を務めたアーネスト・サトウが、現在英大使館となっている公使館の前に桜を植えたのが始まりだとされる。

日本を愛したサトウに続き、後年、大使館の敷地内にも多くの桜が植えられ、その桜が東京市に寄贈されたことから、千鳥ヶ淵での桜の植樹が盛んになり、公園として整備された。一九九八年には、英大使館の正門前に、サトウの桜植樹一〇〇周年を祝う記念碑が建てられた。

これに対し、イギリスにゆかりのある個人や企業で作る日英協会（東京都千代田区）が、桜の木六五〇〇本を、ロンドン中心部のロイヤルパーク（王立公園）など、イギリス各地の公園一六〇ヵ所と四〇〇の学校に植える計画を進めている。日英友好の象徴的な事業として桜を育て、アメリカの首都ワシントン・ポトマック河畔の桜並木のような名所を、イギリスに作る構想だ。

初期段階の費用は一〇万ポンド（約一四〇〇万円）。日英企業の法人会員約八〇社のほか、東京商工会議所や経団連などを通じて協力を呼びかけ、民間主導で、イギリスに日本の国花である桜を植樹し、日英の友好親善を目指す狙いだ。

「新・日英同盟」が結ばれ、自由、民主主義、平和を担いながら、イギリス各地でイギリス人と咲き薫る桜を楽しめる時代が訪れることを、鶴首（かくしゅ）して待つことにしよう。

イギリスの「ミカサ・ストリート」は永遠に

日本海海戦から六年後の一九一一年、ウエストミンスター寺院で、英国王ジョージ五世の戴冠式が行われた。明治天皇の代理として東伏見宮依仁親王に随行して戴冠式に出席するため、三三年ぶりにイギリスを訪問した東郷元帥は、留学時代の学校の教師や旧友たちに再会した。

東郷元帥は、バルチック艦隊を撃破した連合艦隊旗艦「三笠」を建造したイギリス北部のバロー・イン・ファーネスまで足を延ばし、「三笠」建造の感謝のため、当時の市長を表敬訪問した。そして連合艦隊を代表し、「金華山焼」で作製された陶器の大皿を贈呈した。

いまもバローの中心にあるタウンホール（市庁舎）の市長室の真ん中に、透明のガラスケースに入れられた日本製の大皿が大切に飾られている。日英が干戈を交えた大戦中も大皿と「三笠」の艦橋図は市長室から撤去されず、展示され続けた。

また、街には「三笠」が建造された一九〇〇年に「ＭＩＫＡＳＡ　ＳＴ.」と命名された通りがある。こちらも一二〇年間、第二次世界大戦中も、名前を変えず残った。草の根の日英市民の交流は深く強く続いているのだ。

一九〇四年二月に始まった日露戦争は、翌年五月の日本海海戦における連合艦隊の勝利で、大勢が決した。欧米は、極東の非白人小国が大勝利を収めたことに腰を抜かした。「日本は鎖国を解いて五〇年、海軍を持って四〇年で、早くも世界一流の海軍国になった」（米ニューヨーク・サン紙）。しかし、「皇国ノ興廃此ノ一戦ニアリ」とＺ旗を掲げて勝利した背景には、「大英帝国」があった。

日本海でロシアのバルチック艦隊を撃破し、世界史に残る大偉業を達成した連合艦隊旗艦「三笠」をはじめ、日本艦艇の九割はイギリスで製造されていた。そして当時、最高級のイギリス産「カーディフ炭」を燃料とするなど、イギリスが少なからぬ側面援助をしていた。またインテリジェンスにおいても、イギリスはロシアの機密情報を惜しみなく提供した。世紀の勝利は、帝政ロシアと覇を競ったイギリスによって支えられたのだ。

「三笠」の故郷、バロー・イン・ファーネスを訪ねると、一世紀前に交換された日英交流の想い出と、「三笠」を建造した誇りが、いまも語り継がれていた。

ロンドンから電車で約五時間。アイルランド海に面したバロー。沖合に自動車レースで有名なマン島がある。近くには『ピーター・ラビット』の作者、ヘレン・ビアトリクス・ポターが創作活動を行った湖水地方のニア・ソーリー村もある。

一九世紀後半から二〇世紀初頭、世界最初に産業革命に成功したイギリスが世界の工場だった時代、バローは、造船会社「ヴィッカース」の企業城下町として発展した。造船の街だったが造船業は衰退し、現在は「ヴィッカース」を引き継いだ防衛航空宇宙企業「ＢＡＥシステムズ」が原子力潜水艦を建造するだけだ。しかし現在でも、イギリスにおける安全保障の一端を担っている。

「三笠」は一八九九年、当時の最新戦艦として起工され、一九〇〇年一一月に進水した。市内のバロー公文書館には、進水式の写真と地元紙の挿絵などが保存されている。駐英日本公使が

現在のMIKASA STREET

出席した進水式には、多くの地元市民が参加して、熱烈な声援を受けた。地元紙は「アジアの最新興の強国・日本の発注を受け、最大の戦艦を建造したことは、イギリスさらにバローのヴィッカースの誇りだ」と伝えた。

一〇〇年余を経ても、「三笠」を誇りに思う市民の気持ちは変わらない。

街の対岸のウォルニー島に造船従業員の社宅が建ち並ぶ「ヴィッカース・タウン」がある。通りの名前は同社が建造した船名から付けられており、その一つが「ＭＩＫＡＳＡ　ＳＴＲＥＥＴ」と命名されている。三笠が建造された一九〇〇年に名付けられたのだが、以来、一度も名前を変えていない。

通りは一般的な道路で、命名の由来を記した記念碑もない。玄関の壁に「ＭＩＫＡＳＡ　ＳＴ.」と書かれた通りの発端、「ミカサ・ストリート一番地」に住むウィリアム・ヒギンソンさんは、四〇年間、ヴィッカースで造船工として原潜などを造った。二階建ての自宅に招き入れてくれて、「ミカサ」を「マイカサ」と発音し、「先輩が偉大な戦艦を造ったことを誇りに思う。何しろ、あのロシアを負かしたのだから。マイカサは私たちの歴史だ」と、胸を張った。

日本に与えトルコには拒否した造船技術

日本が「三笠」建造をイギリスに頼んだのは、当時の造船大国イギリスから造船技術を学び、技術を向上させるためだった。日本海軍を創設した明治新政府が、初代「金剛」「比叡（ひえい）」「扶桑」を発注して以来、イギリスは日本海軍のお手本だった。ヴィッカースにとっても、新たに開発した技術を海外からの受注艦に実装し、試すことができるメリットがあった。その技術は、当時の最新鋭のものだった。

完成した「三笠」は一三二メートルの船体の前後に旋回式の連装砲塔を各一基備え、舷側にずらりと副砲を並べた装備。進水式で市民から絶賛されたのは、艦橋、居住部、火砲の配置に無理がなく、均整がとれた容姿が先進的だったためだ。

一年数ヵ月かけて兵器などの装備を取り付け、一九〇二年三月一日、サウサンプトンで日本海軍に引き渡された。翌二日、プリマスでイギリスの戦艦「クイーン」の進水式に参列した初代艦長・早崎源吾（はやさきげんご）は、「イギリス側から非常なる歓待を受けたのは、日英同盟のおかげであ

「三笠」の進水式（バロー公文書館所蔵）

る」と、海軍大臣・山本権兵衛に手紙で書いている。

　イギリスが日本と同盟を結んだのはわずか一ヵ月前だった。いわば「三笠」は、日英同盟の象徴として日本に提供されたといえるのである。

　「三笠」を建造した古い石積みの「船渠」（ドック）が残っており、その跡地は改造され、造船業の歴史などを展示する「ドックミュージアム」になっていた。博物館前には、船の舵とスクリューをかたどった記念碑がある。ヴィッカースが建造した船の名前が書かれてあり、「三笠」や日本海軍が初の超弩級巡洋戦艦として発注した「金剛」の名も記されている。

　「ドックミュージアム」には、「三笠」の一年前に建造され、モデルとなったフランスの戦艦「ヴェンジャンス」とともに、日露戦争後、一九一三年八月に竣工された「金剛」の模型なども飾られている。日本海軍初の超弩級巡洋戦艦として発注した「金剛」は、当時、世界最大で世界最強、そして最先端の船だった。高速戦艦として第二次世界大戦でも活躍する。

学芸員のグラハム・カービンさんによると、ヴィッカースは「三笠」建造を誇りに思い、日本海軍と親密な関係を続け、「金剛」建造に当たっても企業秘密を隠さず、「技術供与」を図った。そのため、日本側からの造船技術者の受け入れや船体の図面供与、あるいは同型艦の日本国内での建造まで許可した。イギリスは同盟国・日本に、最先端造船技術を惜しみなく提供したのである。

この結果、同型艦「比叡」「榛名」「霧島」三隻を国内で建造し、日本は造船技術を世界一流にまで引き上げることができた。日本海軍が世界の一流になるに当たって、イギリスの後押しが欠かせなかったことがうかがえる。

「三笠」建造以来、十数年間、バローには技術者や訓練を受ける水兵ら海軍関係者などの日本人が定期的に滞在し、地元の市民らと積極的な交流が行われた。バローの市民が日本に親しみを持っているのは、こうした歴史があるからだろう。

振り返ってみれば、日露戦争当時、日本の主力の戦艦六隻は、すべてイギリスのニューカッスルなどで製造されていた。装甲巡洋艦八隻のうち半数もイギリス製だった。当時のイギリスは世界一の造船大国で、同盟国として、最先端技術が反映された新鋭艦を提供したのである。

日露戦争で日本海海戦の勝利を収めた要因の一つは、ここにあった。

日露戦争後も、日本は、戦艦の造船方法をイギリスで研究した。「金剛」の建造を通じた技術流入は成功し、その後の日本は、独自の造船技術を確立する。バローで造船技術を学んだ技術者のなかには、後に戦艦「大和（やまと）」の主砲を製造した者もおり、イギリスで学んだ造船技術は日本流にアレンジされ、その後の「大和」「武蔵（むさし）」など巨大戦艦を造る基礎となった。そして、戦後、日本が造船大国として復興する礎（いしずえ）にもなった。

ヴィッカースは同様に、トルコ（オスマン帝国）からも戦艦の発注を受けたが、第一次世界大戦勃発直前にイギリスが接収した。そして英海軍戦艦「エリン」として就航させ、トルコには渡さなかった。日本との対比として明記しておきたい。

「光輝ある孤立」から日英同盟に至った背景

ただ、同盟国・日本に便宜（べんぎ）を図ったイギリスにも、したたかな戦略があった。一九世紀末、世界は弱肉強食の帝国主義の時代だった。とりわけ不凍港を求めて南下する帝政ロシアと、エジプト、インド、中国を結ぶ海上ルートを支配したい大英帝国は、利害が激突し、熾烈（しれつ）なグレート・ゲームが展開されていた。

まずクリミア半島で、ロシアの地中海進出の野望を挫（くじ）いたイギリスは、アフガニスタンでもインド洋への進出を阻止する。ユーラシア大陸の西で出口を失ったロシアは、極東に失地回復を求めてシベリア鉄道の建設を進め、日本海に出ようとしたのである。

このときシンガポールから香港を拠点にアジア支配を進めたイギリスは、朝鮮半島から満州（中国東北部）までは戦線を拡大できず、日本を武装させてロシアの南下に対抗させようとした。そこで生まれたのが日英同盟だった。日露戦争の二年前に当たる一九〇二年のことだ。

近世以来、イギリスの外交政策は、勢力均衡が基本だった。いかなる国とも恒久固定的な同盟関係には立たず、平時は大陸情勢から超然としつつも（光輝ある孤立）、ひとたび覇を唱える強国がヨーロッパに出現し、イギリス本土にその脅威が迫る恐れが生じた場合、他のヨーロッパの大陸諸国と連携して覇権国家に対抗する。そうして影響力拡大を阻止し、イギリスへの圧迫を回避するのが、伝統的な外交手法だった。

一七～一八世紀、ブルボンとハプスブルクの両王家が大陸で覇権争いをした際も、イギリスはあいだに立って両者を競わせた。こうして覇権国家の出現を阻止し、大陸諸国が互いに牽制拮抗する隙に乗じて海外に進出して、植民地体制を確立した。フランス革命期には対仏大同盟を主導し、革命思想とナポレオンの覇権獲得を阻（はば）んだ。

新たな大国が出現すれば、昨日の敵は今日の味方となり、味方が台頭し始めれば、明日は再び敵対する。柔軟で現実主義の外交政策を展開するイギリスには、「永遠の敵も味方もなく、ただ存在するのは自らの国益だけ」（パーマストン首相）だった。

こうして「光輝ある孤立」と呼ばれる非同盟政策を貫き、ヨーロッパの紛争には介入せず、あらゆる国と自由貿易を行い、自国製品の販売や輸出によって世界経済の中心として栄えたイギリス。だが、他のヨーロッパ主要国が連合体制（三国同盟、露仏同盟）を敷いて、優位性が揺らいでいた。南下政策を行うロシアとは、ことごとく対立しており、そのため同じくアジアでロシアに対抗する日本と手を組む決断を下したのである。

イギリスからすると、日露戦争で日本が勝利すれば、自らの手を汚さずにロシアを封じ込められる。たとえ日本が負けても、自国には傷が付かない。近代国家として成立したばかりの東洋の新興国・日本と軍事同盟を結び、先端軍事技術を惜しみなく提供した背景には、イギリス流のしたたかな現実主義（リアリズム）があった。

日本はアジアにおけるイギリスの帝国主義の先兵役とされたとも解釈できる。日露戦争はイギリスの代理戦争ではなかったか、と解釈する見方もある。

一方の日本は、帝国主義の時代、大国と軍事同盟を結び、安全を確保しなければならなかった。周辺諸国への侵略を繰り返すロシアに備えるため、日本政府は、明治維新以来、友好関係にあったイギリスを同盟相手に選ばざるをえなかった。南下する帝政ロシアを媒介にして、日英両国の利害が一致したことは間違いない。

敵国になっても「三笠」は誇り

「一〇〇年以上歴代市長が大切に受け継いできた、日本との交流を示す記念品です」

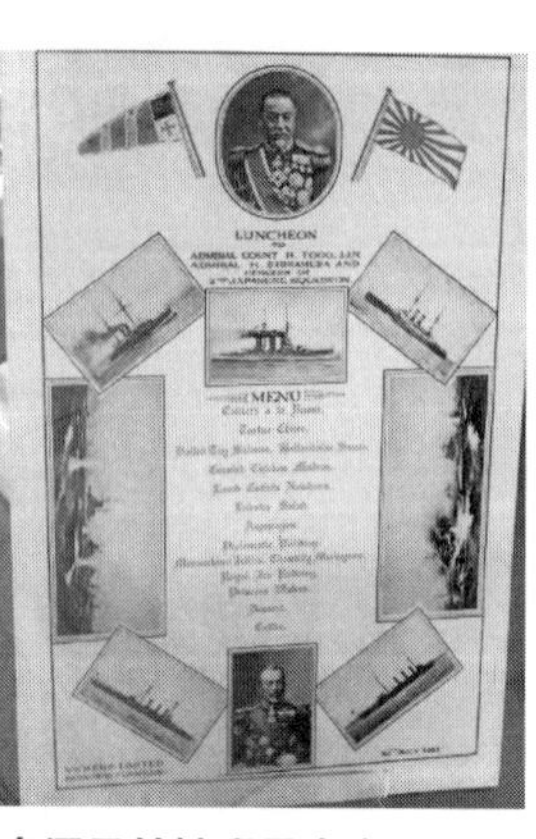

東郷元帥歓迎昼食会のメニュー（バローのドックミュージアム所蔵）

バロー・イン・ファーネスの中心にあるタウンホール（市庁舎）の市長室で、アン・トンプソン名誉市長が目を細めた。歴代の市長の写真が飾られた市長室の真ん中にある陳列台の上には、透明のガラスケースに入れられた日本製の大皿、「金華山焼」の陶器が大切に飾られていた。一九一一年に英国王ジョージ五世の戴冠式のため渡英した東郷平八郎元帥がバローを訪問し、「三笠」建造の感謝と新起工される「金剛」の依頼の印として贈呈したものだ。

「三笠」を建造したバローを東郷は愛し、しばしば足を運んだという。表敬を受けたバローも、日本海海戦における東郷の偉業に敬意を表していた。寄贈された「金華山焼」大皿の隣には、「三笠」のブリッジで日本海海戦の指揮を執る東郷元帥や艦長・伊地知彦次郎を東城鉦太郎画伯が描いた「三笠艦橋之圖」の写真が、誇らしく添えられていた。

タウンホールのロビーには、東郷元帥が日本海海戦で歴史的な勝利を収めたちょうど一〇〇年前の一八〇五年、トラファルガー海戦でネルソン提督率いるイギリス艦隊がナポレオンのフランスとスペインの連合艦隊を破った絵画が展示されている。トンプソン名誉市長は胸を張った。

「アドミラル・トーゴー（東郷元帥）は『日本のネルソン提督』として市民の熱狂的な歓迎を受けました。MIKASAの活躍に、当時の市長はじめ多くの市民が歓喜したそうです」

　庁舎内のバンケットホールは数百人を収容できる天井が高い大ホールで、東郷元帥を招いて歓迎昼食会を開催した際は、ロシアを破った「アドミラル・トーゴー」を、集まった当時の市長や市民が手厚くもてなしたという。

「ドックミュージアム」には、この歓迎昼食会の式次第とメニューが展示されている。それによると、ヴィッカースの従業員で構成する「バロー・シップヤード・プライズ・シルバー・バンド」の演奏で、「日本の旋律　ホソカ」で昼食会は始まり、「ロマンスジャポネーズ」「ダンスオリエンタル」や「日本で人気の愛の歌による日本のダンス」も披露された。また菊の紋章が入ったメニューには、「バウムクーヘン」とともに「タルト・トーキョー」などの特別デザートも記されていた。

　バローには、一九〇〇年四月に、日本海海戦で東郷元帥の下で作戦担当参謀を務めて勝利に導いた秋山真之と旅順港口閉塞作戦で軍神として名を馳せた広瀬武夫が訪れている。完成間近の「三笠」を見学したのだ。

　さて、第二次世界大戦中も「ミカサ・ストリート」の名前を変えなかったことについてトンプソン名誉市長は、「ミカサは我々の誇り。元市長がミカサ・ストリートに住んでいたくらいだ。国同士が交戦しても、私たちが造ったミカサの歴史は変わらない。今後もミカサ・ストリ

バロー市長室に保存されている東郷元帥贈呈の記念品「金華山焼大皿」とトンプソン名誉市長

ートの名前を変えるつもりはない。市長室に飾ってきた記念品も、永遠に飾り続ける」と語った。

英国王の戴冠式出席のため三三年ぶりにイギリスを再訪した東郷元帥は、かつての留学先だった海員練習船「ウースター」校も訪問し、日本海海戦で旗艦「三笠」に掲げられた「大将旗」を寄贈した。旭日旗（きょくじつき）に似たデザインで、白地の中央の赤い日章から八本の光線が延びている。縦二メートル五三センチ、横三メートル八六センチ。この大将旗は、ウースター校の財産を引き継いでいる財団マリン・ソサエティが、同時に寄贈された銀杯や東郷元帥の胸像とともに所蔵していたが、二〇〇四年、東郷神社が貸与を申し込んだところ、無償で永久貸与されることになった。いまは東郷神社が保管している。

ウースター校では大将旗を大切に保管していたうえに、卒業生名簿には、筆頭に東郷元帥の名前を掲載している。東郷神社は、「元帥はイギリスでも尊敬されている。長いあいだ保管していただいた大将旗も快く貸していただき、ありがたい」と述べ、二〇二〇年八月、東郷元帥ゆかりの銀杏が境内(けいだい)に植樹されたとき、大将旗を披露した。

現在、「三笠」は、横須賀市で保存されている。また母港だった舞鶴市には、バローと同じように「三笠通り」がある。横須賀市と舞鶴市は、ウェールズで育った東郷元帥ゆかりの「東郷銀杏」の苗木を受け入れ、市内の東郷元帥ゆかりの地に植樹する。そして「三笠」の生誕地バローでは、東郷元帥と「三笠」の縁を通じて横須賀市や舞鶴市と結び付きを深められないか検討している。

第9章　「地中海の守護神」と呼ばれた日本海軍

日本兵の墓を一〇〇年守り続けたイギリス人

「ポートランド島の海軍墓地に眠る日本海軍兵、Ｐｅｔｔｙ　Ｏｆｆｉｃｅｒ　Ｈａｒａｄａ（原田兵曹）の親族に連絡が取れないか。来年、二〇一九年は、没後一〇〇年に当たるため、花輪を手向けたい。忘れられず、ちゃんと葬られていることを、日本の親族に伝えてほしい」

ロンドンの在英日本大使館の鶴岡公二駐英大使（当時）あてに、イギリス南部ドーセット州ポートランド島に住むイギリス人大学生、ジェッド・グラントさんから、こんなメールが届いたのは、二〇一八年九月のことだった。

グラントさんが住むポートランド島には、かつて英海軍の基地と軍港があった。同基地内には、「英連邦墓地」があり、その一角に「Ｐｅｔｔｙ　Ｏｆｆｉｃｅｒ　Ｈａｒａｄａ」と書かれた墓標があった。英海軍の歴史を研究していたグラントさんは、この墓地を何度も訪ねるうちに、戦死したイギリス人の墓に交じって日本人の立派な墓標を見つけ、日本人が埋葬されていることに興味を覚えた。

この「原田兵曹」の墓標には、一九一九（大正八）年二月一五日死亡と刻まれており、没後一〇〇年に日本の遺族と交流ができないかと、鶴岡大使まで問い合わせたのだった。

在英日本大使館の野間俊英・防衛駐在官（当時）が防衛研究所に問い合わせた。防衛研究所の石丸安蔵・戦史研究センター戦史研究室所員は、日英同盟のもと、第一次世界大戦で地中海に派遣され、イギリスのポートランド島に寄港した「第二特務艦隊」関係者ではないかと推論した。そして第二特務艦隊の編纂による『遠征記』などで調べたところ、「Petty Officer Harada」は、「海軍二等兵曹　原田浅吉」氏と判明した。

初代の巡洋艦「出雲」に乗船していた原田兵曹は、一九一八年一一月一一日の停戦後、帰国の途に就く前の一九一九年二月にポートランド島に立ち寄り、同一五日、行方不明となった。そして六月六日、溺死体で発見されたことが判明した。『第二特務艦隊記念写真帖』からは、原田兵曹の死没者名簿や顔写真、そしてポートランド島で執り行われた葬儀の写真も見つかった。

さらに、遺族に対し支払われた見舞い金関連の史料である「恤兵金配付（第二特務艦隊）」（防衛研究所戦史研究センター所蔵）から、原田兵曹は既婚者で、夫人が長崎市野母町に住んでいたことが分かった。

遺族が長崎市に存命していないだろうか。当時の自衛隊長崎地方協力本部の副本部長、玉川裕一事務官が同市内を現地調査した結果、野母町とは異なる別の場所に、原田兵曹の孫、原田修二さんが居住していることが分かった。八五歳だった。

帰国を前にポートランド島で不慮の水死をした祖父の浅吉氏がイギリスで丁重に埋葬されていることを知った修二さんは、「現地の方々がこれほどまでに大切にしてくださることをありがたく思う。高齢のためイギリスまで足を運ぶことはできないが、長いあいだ祖父の墓を守ってくださったイギリスの皆様に感謝したい」と述べたという。

原田兵曹の没後一〇〇年の命日に当たる二〇一九年二月一五日、ポートランド島の英海軍基地内で、野間防衛駐在官ら日英の海軍関係者が追悼式を行った。

野間駐在官が「原田氏の墓碑を大事にしてくれたことに感謝したい」と挨拶すると、グラントさんは「国のために戦った人は尊敬されて眠るべきだ」と応え、原田浅吉氏の墓標に花輪を手向けた。

英海軍参謀本部のジョン・ハルロイド中佐は、「同盟関係にあった日英が深く協力していたことの象徴である。現在も同様の交流を深めたい」と述べた。日本では、玉川事務官らが佐世保市にある東山海軍墓地内の第二特務艦隊戦没者之碑に献花し、原田兵曹を慰霊した。その後、原田修二氏とグラント氏は日英で行った互いの慰霊の様子を撮影した写真を交換した。また原田氏は、グラント氏に礼状を送った。

Uボートを眼前に英兵三〇〇〇名を救助

日本は日英同盟に基づき、イギリスからの強い要請を受けて、第一次世界大戦に連合国の一員として参戦した。しかし、日本海軍が「第二特務艦隊」を地中海に派遣し、イギリス領だったマルタ島を拠点にドイツの潜水艦による無差別攻撃から連合国の船団を護衛し、「地中海の守護神」と呼ばれたことは、あまり知られていない。

ドーセット州ポートランド島の英海軍墓地内で行われた原田兵曹の追悼式

　原田兵曹が「英連邦墓地」に、殉職した英海軍兵士に準じて手厚く葬られているのは、イギリス側が「第二特務艦隊」の地中海での活躍に敬意を表したからだった。不慮の死を遂げた同盟国の歴戦の兵に、英海軍が最大の弔いを行ったのだろう。

　一九一四年七月、第一次世界大戦が勃発すると、独海軍は潜水艦で輸送船に対する無差別攻撃を行う作戦を展開した。そのためイギリスから日本に対し、物資の供与を条件に、艦艇をヨーロッパに派遣して参戦する要請が再三あった。このため日本海軍は、インド洋に「第一特務艦隊」を派遣、イギリスやフランスのアジアやオセアニアにおける植民地からヨーロッパへ向かう輸送船護衛の任に就いた。

　この参戦の見返りとして、日本は、イギ

リスが干戈を交えたドイツの中国における租借地の山東半島および南太平洋に広がる赤道以北の南洋諸島の権益を獲得する秘密条約を結んだ。

一九一七年二月、巡洋艦「明石（あかし）」および樺型（かばかた）駆逐艦計八隻からなる「第二特務艦隊」を地中海に派遣する。そして一九一九年六月にかけて、巡洋艦三隻、駆逐艦一二隻、英海軍からの貸与艦船四隻の延べ一九隻が、地中海の海上交通の要衝、マルタ島を根拠に行動した。

地中海では独潜水艦が輸送船を攻撃しており、連合国軍側の被害は増大していた。日本海軍にとっては初めてとなる、潜水艦を相手にした船団の護衛作戦になった。

「第二特務艦隊」は、派遣艦艇数こそ連合国諸国に比べて少なかったが、独海軍のUボート潜水艦による輸送船攻撃の護衛という「最も厳しい任務」を受け持った。そうして地中海横断航路の防衛と、機雷掃海を行ったのだ。

一九一七年五月四日には、イギリスの兵員輸送船「トランシルバニア」号が独軍の攻撃によって沈没しかけていた。すると駆逐艦「松（まつ）」と「榊（さかき）」が救助に当たり、敵潜水艦を目前にして戦闘しながら、捨て身になって、乗員三二六六人（陸兵二九六四人、看護兵六六人、船員二三六人）のうち、約三〇〇〇人を救助した。

こうして帰港したイタリアのサボナでは、日本兵たちは英雄として大歓迎された。このニュースは、たちまちイギリス国内に伝わり、大日本帝国海軍の名声が、イギリスはもちろん世界に響いたのだ。

六月一一日には、駆逐艦「榊」がオーストリア＝ハンガリー軍から魚雷攻撃を受け、艦長以下五九人が戦死する惨事が発生した。しかし一九一八年に入ると、魚雷を受け自力で航行できなくなった英船「パングラス」号を、駆逐艦「桃」「樫」が、不眠不休で三日三晩、潜水艦に襲撃される危険も恐れず曳航し、マルタに無事、送り届けた。

「第二特務艦隊」は、英海軍から対潜水艦戦を教わり、爆雷を現地で装備するなどした。そして休戦協定が結ばれた一九一八年一一月まで活動を続けたが、輸送船など約八〇〇隻の連合国軍艦船を護送し、兵員七〇万人を輸送した。ドイツのUボートから攻撃を受けた連合国軍艦船から七〇〇〇人以上を救出し、連合国側の西部戦線での劣勢を覆すことに貢献したのだ。

イギリスでは「第二特務艦隊」の活躍に沸き立ち、「地中海の守護神」と称えられた。

英下院では「バンザイ」を唱和

このとき海軍大臣だったウィンストン・チャーチルは、日本の特務艦隊司令部に称賛と感謝の意を込めた電報を送った。また英国王ジョージ五世は、旗艦「明石」の司令官、佐藤皐蔵少将に聖マイケル・聖ジョージ勲章ナイト・コマンダーを授け、駆逐艦「松」「榊」の士官七人、下士官二〇人に勲章を授与した。

そして英下院では、「第二特務艦隊」の偉業と功績が報告されると、議場は歓呼と拍手に包まれた。そして議会始まって以来はじめて、日本語で「バンザイ」が唱和された。このほか佐

マルタの日本海軍戦没者墓地

藤司令官は、各国元首に招かれて謝辞や勲章を受けた。こうして日英の連携が強化され、日本の国際的地位が向上したことは間違いないだろう。

駆逐艦「榊」が攻撃を受け、大きな被害を出してから一年後、「第二特務艦隊」はマルタ島の中心部からやや離れた小高い丘の英連邦墓地の一角に「大日本帝国第二特務艦隊戦死者之墓」を建立し、慰霊行事を行った。七一人の戦没者の遺骨と遺灰は、現在もマルタの旧日本海軍戦没者墓地に眠っている。

安倍晋三首相は、二〇一三年九月三〇日の日英安全保障協力会議の基調講演で、この史実に触れて、こう述べた。

「忘れてならないのは、来年ちょうどその勃発から一〇〇周年を迎える『グレート・ウォー（第一次世界大戦）』において、日本海軍将兵は並外れた操艦技術を発揮、英国船護衛に成果を挙げ、『地中海の守護神』と呼ばれた事実です。このとき犠牲となった日本海軍戦没者の御霊を祭る慰霊碑は、いまもマルタの、英軍墓地の一角にたたずんで、訪れる人を待っています。爾来、幾星霜、日本と英国は、その間に挿入された苦い思い出、苦しい記憶を時とともに超克、昇華して、本来の関係へ立ち返りました」

二〇一七年五月二七日、イタリア南部・タオルミナでのG7主要国首脳会議（タオルミナ・サミット）を終えた安倍首相は、この墓地を訪ねて献花をし、黙禱をささげた。「万感の思いを込め、御霊の平安をお祈りしました。日本は、世界から信頼されていますと、申し上げました」――慰霊直後、安倍首相はフェイスブックに、こうコメントした。

ポートランド島の英連邦墓地に永眠する原田氏に興味を持ったグラントさんは、こうした日英の深い縁を知り、いにしえの日英同盟に思いを馳せた。

撃沈された日本船の墓碑を英市民が再建

同じく第一次世界大戦にまつわる日英の民間の温かな交流があった。

イギリス西部ウェールズでは、第一次世界大戦が終結する一九一八年一一月の約一ヵ月前の一〇月、同沖で、日本郵船の貨客船「平野丸」がドイツの潜水艦Uボートに撃沈された。そして乗客・乗員二一〇人が死亡した。この犠牲者を悼む墓碑が、沈没から一〇〇年を迎えた二〇一八年一〇月四日、地元ウェールズ市民のボランティアで再建されたのだ。そして、英王室でエリザベス女王の従兄弟に当たるグロスター公爵らを招き、除幕式が行われた。

ウェールズ南部アングルのセントメリー教会墓地で行われた新たな墓碑の除幕式には、乗船して犠牲となった海軍主計少監・山本新太郎氏の孫、七三歳の中村良子さんら遺族のほか、在英日本大使館の飯田慎一公使も参加した。日英の官民を交えて、盛大に、除幕式が行われたのだ。

セントメリー教会で礼拝したあと、グロスター公爵が「平野丸殉難者　大越四郎他九名乃墓」と日本語で書かれた高さ約一メートルの墓碑を除幕。花輪を献花して、犠牲者に哀悼の意を表した。

再建した地元の郷土史家、デービッド・ジェームズさんによると、「平野丸」は英中部リバプールから横浜に向かう途中、魚雷攻撃を受け、乗客八六人、乗員一二四人が死亡した。このうちアングル付近四ヵ所以上に遺体二〇体以上が流れ着いたという。

「平野丸」犠牲者墓碑再建除幕式

セントメリー教会には「Ｓｈｉｒｏ　Ｏｋｏｓｈｉ」ほか氏名不詳の九人が埋葬されたと記録されているが、乗員名簿から、船の給仕、茨城県出身の大越四郎さんたちと見られる。一〇〇年前、当地に流れ着いた遺体は、同教会の墓地に手厚く葬られたのだ。

地元市民たちは、日本が同盟国であり、ともに第一次世界大戦で戦ったという連帯感を持っていた。そのため埋葬した教会の敷地内に、撃沈から一一日後に木の墓標を建立し、手入れをしてきた。しかし、長い年月が経過し、墓標は朽ち果てた。

そのためジェームズさんらは、数年前から、同じ場所に墓標を再建することを計画。失われた墓標の場所を特定し、一〇〇〇ポンド（約一四万円）の募金を地元市民から集めた。そうして日本郵船からも資金協力を得て、新たに花崗岩(かこうがん)の墓碑を新調したのだ。

この教会のあるアングルの隣町、ペンブロークに住むジェームズさんは、「東郷元帥ゆかりの銀杏」の日本への里帰り計画も、ボランティアで進めた。

ジェームズさんは「幼い頃から日本人がアングルの教会に埋葬されていると聞いた。墓は放置されたりせず、弔われるべきだ。今回の墓碑再建が日英交流の一助になれば」と語った。中村さんは、「供養(くよう)してくださった地元の人たちにお礼をいいたくて来た。祖父も喜んでいると思う」と話した。

日英同盟の破棄は歴史上の汚点

第一次世界大戦を経て、日本は、日英同盟を基本とするイギリスとの蜜月関係を築いた。加えて、ヨーロッパ諸国との連携も深まった。しかし、こうした日本の国際社会における地位向上を苦々しく感じていたのが、アメリカだった。

同じ英語という言語とアングロサクソン文化を共通にするイギリスの兄弟国、アメリカは、日露戦争後の日本の大陸進出に不満を抱いていた。そして日英の分断も画策していた。

第一次世界大戦が終結した翌年、一九一九年のパリ講和会議で日本が提議した人種差別撤廃提案をめぐっては、日英の利害が対立した。これに付け込んで、アメリカは、巧みに日英を外交的に分断させたのである。

そして一九二一年のワシントンにおける軍縮会議では、太平洋諸島の非要塞化などを取り決めた米英日仏が、アメリカの思惑通りに四ヵ国条約を締結した。アメリカから圧力を受けたイギリスは、ロシア帝国とドイツ帝国が消滅したこともあり、日英同盟は無用となったとして、事実上の破棄となった。

一九〇二年一月三〇日、ロンドンで、駐英日本公使の林董とイギリス外相第五代ランズダウン侯爵ヘンリー・ペティ＝フィッツモーリスのあいだで調印され、その後、第二次（一九〇五年）、第三次（一九一一年）と継続更新された日英同盟に、終止符が打たれた。

その後、日本がアングロサクソンの米英と衝突し、太平洋戦争につながっていったことは、日本の歴史上の汚点である。ナチス・ドイツの第三帝国、ムッソリーニのファシズム・イタリアと三国同盟を結んだことよりも、日英同盟を堅持できなかったことが、日本外交にとって痛恨の極みだったのではないだろうか。日本は、これを歴史の教訓にしなければならないだろう。

近年、急速に接近する日英両国は、ともに同盟国とするアメリカと緊密に連携しながら、安全保障面での協力を拡大している。核・ミサイル開発を進める北朝鮮、南シナ海などで一方的な現状変更を試みる中国をにらみ、日英の利害は一致している。

破棄から約一〇〇年の時を経て、日英同盟が「復活」の兆しを見せている。

第10章　進む日英和解

日露関係と対照的な日英関係

日露関係には喉に刺さって取れない小骨のような北方領土問題があるように、晴れ上がった空のような日英関係にも、一点の雲である戦争捕虜問題が、戦後、長いあいだ指摘されてきた。第二次世界大戦中、東南アジアで日本軍の捕虜となった兵士と抑留された市民が、その処遇を恨み、日本政府に補償と謝罪を要求してきた問題である。映画『戦場にかける橋』（一九五七年）に代表される。

現在でもイギリスには、七五年以上前に戦火を交えた日本を「残虐（ざんぎゃく）」「野蛮」と見なすステレオタイプな見方もある。日本軍による英兵捕虜の強制労働は、国民のあいだに「虐待」として記憶に刻まれているからだ。

国際法では、捕虜の補償問題は、講和条約成立をもって解決済みとなる。ところが一九九三年、当時の細川護熙（ほそかわもりひろ）首相がイギリス人元捕虜に謝罪し、「在英の日本企業に賠償させる」と発言して以来、泥沼化したのだった。

終戦五〇周年に当たる一九九五年のイギリスでは、「一点の雲」どころか大嵐となった。主要メディアは連日、「日本たたき」を繰り返した。捕虜虐待が棘（とげ）になっていた日英和解は、戦争捕虜問題が噴出して、大きく展開したのだ。

一九九八年四月、天皇陛下（上皇陛下）のイギリス公式訪問が発表された。すると、元イギリス人捕虜たちが戦争責任を天皇陛下にまで転嫁し、ご訪英を阻止しようとした。

加えて同年五月、天皇陛下が公式訪問されると、陛下の車に背を向け、日本の国旗を燃やしたりする元捕虜たちもいた。

さらにイギリス人の元捕虜の団体が、日本政府を相手取って個人補償請求の訴訟を起こし、明確な謝罪を要求していた。

しかし、数多くの民間ボランティアが「謝罪」「補償」のみならず「相互理解」の見地から和解に取り組み、在英日本大使館の努力や日英両政府による「日英草の根平和交流事業」などが功を奏し、垂れ込めた暗雲も晴れつつある。

二〇一二年に両陛下がイギリス女王陛下御即位六〇周年記念午餐会ご臨席のため訪英された際には、一九九八年のようなことは起こらなかった。

駐日英大使のポール・マデン氏は、二〇一七年に英外務省で行われた日本人特派員対象の会見で、「日英和解活動が進み、戦争捕虜問題のわだかまりは消えつつある」と語った。「捕虜問題が日英関係の障害となる時代は終わった」とも述べたのである。

二〇一四年のBBC世論調査では、イギリス人の六五％が日本の影響をポジティブに捉え、ヨーロッパ諸国のなかでは最も高い数値となった。一向に北方領土問題解決の糸口が見えず、凍結状態が続く日露関係と対照的に、戦争捕虜問題で和解が進み、日英関係は「青空」を取り戻しつつあるといっていいだろう。

和解を進めた日本人ボランティア

和解が進んでいるのは、民間日本人ボランティアの努力によるところが大きい。汚名の返上に尽力するエセックス州在住の「ビルマ作戦協会」（正式にはビルマ作戦フェローシップグループ）会長、マクドナルド昭子（あきこ）さんは、二〇一七年にミャンマー（旧ビルマ）の駐英大使から面会を求められた。ミャンマー大使が「日英和解が進展することを望んでいる」と活動を評価し、協力を申し出てくれたためだ。

ミャンマーでは第二次世界大戦中、日本軍と英軍が激戦を展開し、多数の犠牲者を出した。戦争捕虜となった英兵らを従事させた「泰緬（たいめん）鉄道」の建設では、それが「死の鉄道」と呼ばれるほど悲惨を窮め、死者が続出した。これが日英間の棘（とげ）となった。

イギリス人男性と結婚したマクドナルド昭子さんは、陸軍中尉としてインパール作戦で戦った父親を持つ。捕虜や強制労働を体験した元英兵や遺族が日本に憎しみを抱き続けるなかで思い悩んだ。

「謝罪だけすれば良いのか」「日本兵だけが残虐だったのだろうか」……戦争では、どの国の兵士も異常な行動を取るはずだ。そこで、「相互理解なくして和解はない」と考えた。「憎しみを取り除くため、相手と心を割って歴史から話し合わなければ」と確信した。

こうして地道に元英兵と理解し合い、彼らと日本を訪問し、元日本軍兵士と手を取り合って、靖国（やすくに）神社も訪問している。

二〇一四年一〇月、マクドナルド昭子さんは、第二次世界大戦後期のインパール作戦の激戦地、インド北東部コヒマでの戦いに加わった英南東部コルチェスター在住の英退役軍人のロイ・ウェランドさんらを日本に招待した。現地で英第二師団を指揮したジョン・グローバー少将の家族など、英軍関係者らも一緒だった。そうして、かつて干戈を交えた元日本軍兵士らと靖国神社を参拝し、双方の戦没者を慰霊したのだ。

そして、激戦の舞台となったインドの映画監督ウタパル・ボルプジャリ氏が同行し、日英印をまたいだ和解の歩みを映像として記録した。

一行は、コヒマでの戦いから生還したマクドナルド昭子さんの父親で元日本兵の浦山泰二（うらやまたいじ）さんと東京で面会。浦山さんと靖国神社や千鳥ヶ淵戦没者墓苑を訪れた。そして横浜の英連邦戦死者墓地で献花した。さらに、日本陸軍三一師団（烈師団）を率いた佐藤幸徳（さとうこうとく）中将の出身地である山形県庄内町を訪問し、交流を深めた。同町の代表団は二〇一三年一一月にイギリスを訪問し、日本軍と戦った英軍部隊の関係者らの歓待を受けた。

一方、ボルプジャリ監督は、インパール作戦においてインド国民軍を率い、日本軍とともに独立のため戦った独立運動家、チャンドラ・ボースの遺骨がある東京都杉並区の蓮光寺（れんこうじ）も取材した。

一九四四年五月のコヒマでの戦いで負傷し、一ヵ月ほど入院した経験があるウェランドさんは、訪日に際し、妻のルース・スミスさんを通じて、「敵としてではなく日本に行けるのは幸せだ。私たちは未来の世代のために、友人になることができる」と語った。

元英兵捕虜と元日本兵が靖国を訪問

元兵士たちの訪日を実現させたマクドナルド昭子さんは、「英軍人たちは、靖国神社参拝の意味を理解している。日本とイギリス、そしてインドは、教育や交流を通じ、悲惨な過去を前向きで建設的な関係に発展させることができる」と理解した。

そこで二〇一五年一一月にも、ロイ・ウェランドさんらインパール作戦を戦ったイギリスの退役軍人ら七人を日本に招いた。このとき東京の駐日英大使館では、終戦七〇周年を記念したティム・ヒッチンズ大使主催の茶会に参加し、元日本軍兵士と固い握手を交わしたのだ。

日英の元兵士を茶会に招いたヒッチンズ大使は「人が和解を通して変わっていくことに敬意を表したい」と挨拶。ウェランドさんは「このような素朴な瞬間に意味がある。日本では、皆さんがとてもフレンドリーだ」と述べ、元日本兵の木下幹夫（きのしたみきお）さんは「ウェランドさんに会えてたいへん光栄だ」と話した。

茶会では、マクドナルド昭子さんの父親で元日本兵の浦山泰二さんも交えて三人が同じソファに座り、なごやかな雰囲気で日本人形などのおみやげを交換し、昼食をともにした。

付き添ったマクドナルド昭子さんは、「将来を見つめる私たちには責任がある。憎しみを取り除くため、相手と心を割って話し合わなければ。今回の対面が日英友好をより強くするきっかけになってほしい」と力を込めた。

前年の二〇一四年には、ウェランドさんは日本側で作戦を指揮した佐藤幸徳中将の出身地の山形県庄内町を訪れ、佐藤中将の菩提寺であった追悼法要では、庄内町在住で作戦に参加した元日本兵、和島孝一郎さんと握手を交わした。ウェランドさんは足が不自由なため、和島さんの肩を借りながら焼香した。

ウェランドさんが「敵だった自分をこんなに歓迎してくれると思わなかった。日本に来て良かった」と述べると、和島さんは嗚咽を漏らしながら、「インパール作戦のことを思い出すといまでも涙が止まらない。英軍の方と握手ができて、ほっとした気持ちだ」と応じた。双方が、あらためて平和を誓った。

佐藤中将は、インパール作戦で英領インドへ侵攻した際には、飢餓や感染症の蔓延から、軍の命令に反して前線からの撤退を決めた。結果的に、浦山さんら多くの兵士の命を救ったのだ。ウェランドさんらは、そんな佐藤中将の墓にも献花した。そして鶴岡市羽黒山にある出羽神社に参拝し、世界平和を祈願した。マクドナルド昭子さんは、こうした日英和解の進展を現場で確認している。

インパール作戦とは、ビルマ（現ミャンマー）を占領した旧日本軍が、一九四四年三月に英領インドの北東部マニプール州インパール攻略を目指したもの。日本軍は惨敗し、七月に作戦は中止となった。飢餓や病気で日本の参加兵士約九万人のうち約三万人が死亡したとされる。

マクドナルド昭子さんたちは、インパール作戦から七〇年を迎えた二〇一四年から毎年、日英両軍が戦闘を交えたインド北東部マニプール州インパールの現地で、日本、イギリス、インドの関係者を招き、犠牲者の追悼式典を行っている。日英印をまたいだ和解が、現地での合同追悼につながったのだ。

強硬な英退役軍人会が行った「最後の和解」

二〇一二年には、そのビルマ戦線で激しく戦った日英の「最後の和解」が、ロンドン郊外のベッドフォードにあるセントピーター教会で行われた。

「ビルマ作戦協会」の尽力で日英兵士の和解が進むなか、「ビルマ・スター協会」は、「過酷な労働を強いた日本を許せない」と、最後まで和解に応じなかった強硬な英退役軍人会の一つだった。その追悼式典に、初めて在英日本人の参加が認められたのだ。

ビルマ・スター協会ベッドフォード支部では高齢化が進み、残ったのは九〇歳前後の五人だけとなった。この日は軍旗を教会に奉納し、活動を停止する式典が行われた。同支部は、活動をやめる最後の日に日本側と和解することを決め、日本側からマクドナルド昭子さんら在英日本人十数人が参列した。

軍旗を守ってきたビル・スマイリーさんには、戦線で瀕死の重症を負って従軍できなくなった戦友を、これ以上苦しませないように撃ったという悲しい思い出があった。

スマイリーさんは、「イギリスと日本の兵士は戦った。しかし、戦後、敵だった元日本兵との再会を求めた英兵もいた。いつまでも憎しみ合っても得るものはない。いま必要なことは、和解と平和を祈ることだ」と話した。

民間の草の根交流に取り組むうちに、スマイリーさんのようにイギリス側からも和解の意義を理解する人物が増えていることが、何よりの成果である。

マクドナルド昭子さんは、新型コロナウイルスの世界的な感染が広がる二〇二〇年秋にも、インパール作戦に参加した元英兵数名を日本に案内する計画を進めていた。靖国神社を参拝し、双方の戦没者を慰霊するためだ。また、日本外国特派員協会での記者会見や、防衛大学でのシンポジウムも計画していた。

しかし新型コロナウイルス感染症の世界的流行で、残念ながら計画は一年延期された。が、こうした活動の積み重ねで、元捕虜のあいだに渦巻いていた反日感情は収まりつつある。

また、コロナ禍で自粛が続いた二〇二〇年八月一五日には、日本の終戦記念日に際しBBCが行う特集番組に、マクドナルド昭子さんが出演した。戦後初めて、日英和解について報告したのだ。

戦後七五年が経過し、干戈（かんか）を交えて犠牲者を出した両国の兵士が、ともに哀悼の意を表す。こうして和解が成立した事実を、イギリスの視聴者に伝えた。

日英双方の歩み寄りを実現した元日本兵

マクドナルド昭子さんが会長を務める「ビルマ作戦協会」は、和解を進める日英共同の友好団体。インパール作戦に兵士として従軍し、奇跡的に生き残って生還した平久保正男氏（故人）が、一九八三年、元英兵たちに和解を呼びかけた行動と理念がルーツだ。

一九四六年に引き揚げ船で帰国の途に就いた際、「死んだ戦友に日本の再建と日英関係の修復を誓った」という平久保氏は、戦後、丸紅の商社マンとして、念願通りロンドン支店に勤務を果たした。そして退職。そのままイギリスに永住し、かつて戦った英兵との交流のために、敵味方の軍人が参加する「ビルマ作戦有志の会」を結成したのだ。

平久保氏が誓いを実行しようとした一九八三年、偶然にもビルマ戦線のイギリス人生存者二人が日本訪問を希望し、大使館に手紙を出していたことを知った。そこで日本にいる戦友と連絡を取り、自ら二人を日本に案内した。一九八九年からは、日本財団の支援で、イギリスのビルマ戦線の生存者および遺族の訪日を、一九九五年まで五回にわたって実現し、七八人が日本の土を踏んだ。

これをきっかけに、一九九〇年、イギリスに「ビルマ作戦同志会」が設立された。また日本側からも一九九二年と一九九四年の二度にわたり、二七名の全ビルマ戦友団体連絡協議会会員が訪英するなど、相互に訪問するようになった。

第一回の訪日時、元英兵一行は元日本兵とともに靖国神社を参拝した。以降、毎回、靖国神社を訪問した。それは、会長がマクドナルド昭子さんに代わっても続いている。何の違和感もなく、元捕虜たちは靖国神社を訪れ、英霊に手を合わせているのだ。

一九九七年には、日英双方の有志三六人がともにビルマで合同慰霊祭を主催し、元英兵捕虜と元日本兵の交流を進めた。また何度も北東インドやビルマを往復し、コヒマ大聖堂の建築に多大な貢献をした。ビルマとインドに惨状を引き起こした日本には、国の再建を支援する責任があると考えたからだ。

平久保氏は次のように述べている。

「死んだ戦友に申し訳ない……そんな思いで生きているのは、イギリスの旧軍人も一緒だった。前線で戦った者同士だから分かり合える」

こうした和解の輪を広げる一方で、平久保氏は、謝罪要求に対しては、公の場できっぱりと、「捕虜を虐待した覚えのない日本人までが、なぜ謝らなければならないのか」と主張した。マクドナルド昭子さんが、単なる謝罪だけではなく、相手との相互理解を広げる形で和解を進めているのも、こうした平久保氏の姿勢を受け継いだためだ。

ビルマ作戦協会の会長として、その半生をイギリスとの和解のために捧げた平久保氏は、一九九一年に英女王よりＯＢＥ（大英帝国勲章）を、そして日本の外務大臣からも表彰を受けた。

横浜で生まれた平久保氏は、二〇〇八年、八八歳でロンドンにて永眠した。英タイムズ紙は、「かつて敵として戦ったイギリスに住み、和解を呼びかけ、双方の歩み寄りの礎を作った元日本兵に、追悼と賛辞の声が集まっている。平久保正男氏は、和解を模索する日英両国の元従軍兵たちから『くさび』と呼ばれていた」との追悼記事を掲載した。

三重県のイギリス人捕虜の慰霊碑に接して

「多くの苦労があり、（関係者とともに）涙したこともあった。多くの人たちが協力してくれて続けられた」

日本軍に捕らわれ、労働に従事したイギリスの元捕虜やその家族らを招いた「日英和解レセプション」が、二〇一八年六月、ロンドンの日本大使館で行われた。約二〇〇人を前に、和解に尽力（じんりょく）し、旭日双光章（きょくじつそうこうしょう）を受章した在英の日本人、恵子（けいこ）ホームズさんが、約三〇年の活動を振り返った。

恵子ホームズさんは、慈善団体「アガペ・ワールド」を主宰。元捕虜や家族らを日本に招いてホームステイしてもらうなど、「心の癒やしと和解の旅」と称して、延べ五〇〇人以上を日本に招待した。そして、英兵捕虜やその家族を癒やし、日英の和解に尽力した。

恵子ホームズさんはイギリス人と結婚し、一九七九年に渡英。エリザベス女王から一九九八年にＯＢＥの勲章を、一九九九年に日本政府から外務大臣賞を受賞した。夫は一九八四年に飛行機事故で亡くなった。

故郷の三重県熊野市紀和町（きわちょう）の実家に一九八〇年代に里帰りしたとき、近くにあったイギリス人捕虜の慰霊碑が、きれいな御影石（みかげいし）で再建されているのを知った。第二次世界大戦中は付近に収容所があり、そこにいたイギリス人捕虜一六人が銅山で労働中に亡くなった。彼らを弔う慰霊碑を見たのが和解活動の原点となった。

かつて元捕虜のお墓は、石積みと十字架の素朴な碑だった。それが新しく立派な慰霊碑に替わっていた。過疎の集落だが、お年寄りがきれいに清掃していた。碑文には、英兵一六人の名前と、強制労働の経緯が記されていた。このとき、亡くなった一六人の元捕虜の母親たちを捜し、「こんな素晴らしいお墓に大切に葬られている」という事実を伝えたい気持ちが湧いたという。

地元には、過酷な労働で知られるタイ・ビルマ（現ミャンマー）国境の「泰緬鉄道」建設を経験した英兵三〇〇人も来ていた。勤労動員の日本人の若者たちは、捕虜にもかかわらず胸を張って銅山に行進して入っていく英兵に敬意を抱き、英語と日本語を教え合ったり、蒸しパンを分け合ったりしたという。

そうこうするうち、約一年後、生存する元捕虜の一人の連絡先が見つかった。すぐに手紙を送ると、「こんなに素晴らしい慰霊碑を造ってくれてありがとう」と書かれた返事が届いた。そこで、当時、イギリスに七三ヵ所あった元捕虜の組織に連絡を取ったが、みな「残酷な日本人がこんなことをするわけがない」と、信じてくれなかった。結局、故郷で死亡した一六人の母親には、一人も会えなかった。

広島や長崎を訪れたあと元捕虜たちは

その後、一九九一年、ロンドンで旧日本軍の捕虜になった元英兵の全国大会があると聞き、恵子ホームズさんは一人で行った。知人からは「絶対に行くな」と止められていたのだが。

会場に入り、元捕虜たちに「あなたたちの思いを日本人に伝えたい」と話しかけた。が、「何しに来たのだ」「日本人は大嫌いだ、出て行け」「誰が日本人などに会うか」「日本人は戦時中のことを何も学校で教えていない」などと罵声（ばせい）を浴びせられてしまった。

しかし、クリスチャンとしてひたすら祈り、「神は憎しみを持った人たちを非常に大切にしている」と自分に言い聞かせた。そして、とにかく「いまの日本の良いところを見てもらうことが、彼らの癒やしになる」と決心し、元捕虜五人を訪ねたのだ。すると、「会わない」といっていた人たちが歓迎してくれた。

本人よりも、息子や娘ら遺族のほうが日本に厳しいことも多かった。「父が戦争で別人になってしまった」「理不尽（りふじん）に殺された」という理由からだ。しかし捕虜を経験した人たちは、日本軍に殴る蹴るの仕打ちを受けながらも、日本人との良い思い出もあって、心を開いてくれたことが何度もあった。

こうして元捕虜たちと関係を築き、一九九二年、彼らを日本に招く「心の癒やしと和解の旅」を始めた。最初は五人ぐらいの参加者からと考えていたが、希望者がはるかに多い四〇人ほどにもなった。最終的な参加者は二六人。企業を回り、支援をお願いした。

一方、元英兵には手記や詩を寄せてもらい、日本語訳を付けた冊子を、ワープロで作成した。すると詩のなかには、「通訳のサトウ」「炭鉱仲間のオオクボさん」などと、個人名も出てきた。また、「ジャップ（日本人への蔑称（べっしょう））はニンジンを全部食べ、おれたちは葉っぱだけを食べた」などと、当時の辛い体験も寄せられた。

和解活動を始めたばかりの頃、ロンドンの元捕虜の会合で会長を務めていた人に電話すると、日本人と聞いただけで、電話口で「わー」と叫び、奥さんと二人で怒りを露（あら）わにした。この元捕虜には、泰緬鉄道の工事で重労働をさせられた経験があったからだった。

当初、駐英大使経験者の一人からは、「すぐにやめなさい」と叱責された。当時の外務省は、歴史認識問題に対しては腫れ物に触るような対応に終始しており、「過去を蒸し返しても日英関係に良い影響を与えない」という認識だったのである。元捕虜のあいだでは、「ケイコはキリスト教徒を装って和解を持ち掛けてくる日本政府のスパイだ」との流言飛語（りゅうげんひご）が飛び交った。

日本政府が支援してくれるようになったのは、一九九五年になってからのことだ。きっかけは、一九九五年が終戦後五〇年の年であり、イギリスでは元捕虜たちが大規模な行進を計画していて、反日ムードが高まっていたためだ。日本人の駐在員の家族は、外に出るのを怖がっていたほどであった。

前年の一九九四年、当時の藤井宏明（ふじいひろあき）・駐英大使から「個人としてできるだけのことをしたい」と申し出があり、直後にロンドンの大使館員有志から寄付の小切手が届いた。そして翌年の正式な支援申し出につながったのだ。以来、一二年間、支援が続いた。

和解活動を続けるうちに、日本人と日本に反発していた元捕虜の人たちが、すっかり変わった。日本人に野蛮で残忍なイメージを抱いていた元捕虜たちは、訪れた日本で、「日本に来てくれて、ありがとう」などと心優しい日本人の言葉に癒やされた。日本から帰国した元捕虜から届いた手紙には、「日本人を憎む気がなくなった」「悪夢でうなされることがなくなった」などとあり、日本人に対する不信感は消えていた。

また日本を訪問した元捕虜たちは、広島と長崎を訪れた。平和祈念館を視察して、女性や子どもまで被爆して多くの犠牲者を出したことを知り、「我々連合国軍が大量殺戮（さつりく）をやって、本当に申し訳なかった」と、自責の念に駆られた人もいた。原爆被爆地を訪問するまでは、連合国軍が原爆を落としたからこそ戦争が終わり、自分たちが自由になり、日本人も助かったと思い込んでいたからだ。核兵器の犠牲になった日本の現実を見て、元捕虜の日本観も変化したようだった。

憎しみのために硬くなっていた体も、赦（ゆる）せば軽くなる。車いすの元捕虜が、訪日したあとに車いすが必要なくなり、立って歩けるようになったことすらあった。

反日の象徴が来日して吐いた言葉

一九九八年五月の天皇陛下ご訪英の際、沿道で日章旗に火を点けて抗議した元捕虜のジャック・カプランさんは、イギリスの地方紙で日本批判の発言を繰り返し、「反日」の象徴だった。「元日本兵がなぜ捕虜に過酷な体罰を加えたり、虫けら同様の扱いで労働を課したりしたのか、自分の目と耳で確かめたい」との思いに駆られていたカプランさんを、恵子ホームズさんは、二〇〇二年、日本に招いた。訪日前、「狂信的な日本の愛国者が現在もいて、彼らに殺されるのではないか」と内心怯えていたカプランさんは、訪日を機に様変わりした。日本で出会った現代の日本人は、戦争で対峙した残忍で屈強な元日本軍兵士とは完全に異なり、「人間味があって誠実な人ばかりだった」からだ。

「敵は日本人ではなく、戦争だった」——戦後に続いたわだかまりが心のなかから消え、心が癒やされたカプランさんの日本観が変化した。

「日本も許せたし、これで安心してあの世に旅立てる」と言い残し、八八歳で天寿を全うしたのは、訪日から数年後のことだった。

一九九八年の天皇陛下ご訪英の際には、恵子ホームズさんはバッキンガム宮殿の晩餐会に招かれた。晩餐会場に続く部屋でエリザベス女王と夫のフィリップ殿下、そして天皇皇后両陛下が歓迎してくださった。天皇陛下からは、「(元捕虜たちイギリスの)お年寄りをお世話くださってありがとう」と声をかけていただいた。

そのとき恵子ホームズさんは「陛下は、(元捕虜たちに)心のなかでは、謝りたいのだろう。謝ることができれば、お気持ちも楽になるだろう」と感じたという。

また二〇一二年五月の天皇陛下ご訪英の際には、ロンドンの日本大使公邸で行われたレセプションで、陛下は、以前と比べイギリスの人々により受け入れられた、という話をされた。一九九八年には、元捕虜たちが歓迎パレードで陛下の乗った馬車に背中を向けて抗議したり、日本の国旗を燃やしたりした。そんな不穏な空気も漂っていたが、それが二〇一二年にはなかった。陛下は「これもあなたたちの活動があったからですね」と述べられた。

恵子ホームズさんにとって、「心の癒やしと和解の旅」は一度だけのつもりだった。資金集めも大変で、三〇年も続くとは思っていなかった。「活動を続けることができたのは、多くの人々が協力してくれ、日本人もイギリス人も、皆が変わるからだ」という。地道に続けた元捕虜を「癒やす」活動の成果が現れてきたことは間違いないだろう。

加えて、歴史学者の小菅信子(こすげのぶこ)・山梨学院大学教授も、ケンブリッジで元捕虜と日本人のあいだをつなぐ活動「ポピーと桜クラブ」を展開した。やはり民間人の立場で和解に取り組んだのだ。

「忘れられた英軍隊」の悲劇

ここまで述べてきたように日英で和解が成功した背景には、日英の経済が互いに「ウィン・ウィン関係」にあったことも大きいだろう。さらに、一九九五年から動き始めた和解を主導したトニー・ブレア首相と、日本の橋本龍太郎首相に、日英関係を良くしようという強い政治のリーダーシップがあったことも要因に挙げられる。

日本人の民間ボランティアの人材が豊富で、彼らの功績が大きいことはすでに記したが、イギリス側の元捕虜たちの「恨みを抱いて死にたくない」「禍根を子どもの世代に持ち越すわけにはいかない」という思いが、両国を和解に導いたことも見逃せない。筆者は、この背景には、明治時代に結んだ日英同盟の友好親善のDNAがイギリス側にもあったからではないかと推察する。

戦後五〇年を迎えた一九九五年から、長年、日英間でくすぶっていた戦争捕虜問題が動いた。年初から英メディアは、日本軍に捕虜にされた元英兵たちの残虐な被害体験を相次いで報じた。

一九四五年五月、連合軍がナチス・ドイツを全面降伏させ、ヨーロッパ戦線で勝利し、帰還した英兵たちはヒーローとして迎えられた。ところがビルマ戦線では、抵抗する日本軍相手に英兵がまだ干戈を交えていた。しかも緒戦にシンガポールが日本軍によって陥落させられるなど、あまり旗色が良くなかった。同年八月一五日に日本が降伏して、ようやく太平洋戦争は終結。ビルマ戦線の将兵たちは帰国したが、イギリスでは、「Ｆｏｒｇｏｔｔｅｎ Ａｒｍｙ（忘れられた軍隊）」と呼ばれ、「なぜ、いま頃帰ってきたのか」と、国民に冷遇された。この恨みを、この人たちはずっと抱えて戦後を生きてきたのだ。

一九九四年から一九九八年まで在英日本大使館特命全権公使として日英和解に関わった沼田（ぬまた）貞昭（さだあき）元カナダ大使によると、戦後処理には、①法的処理②謝罪③和解の三つの問題があるという。

まず①の法的処理では、日本は一九五一年にサンフランシスコ講和条約を結び、東京裁判のみならず連合国の戦争犯罪法廷を受諾した。泰緬鉄道をめぐってはＢＣ級戦犯として一一一人が有罪判決を受け、三六人が処刑された。講和条約で日本への賠償請求権は放棄されたが、接収された在外日本資産とあわせて、強制労働への償い金として、元捕虜一人当たり七六・五ポンド、民間抑留者に四八・五ポンドが分配された。

この補償額があまりに少なすぎるため不十分だとして、元捕虜のあいだに大きな不満が鬱積（うっせき）し、日本強制労働収容所生存者協会のアーサー・ティザリントン会長ら七人が一九九四年、東京地裁において、一人当たり一万三〇〇〇ポンドの補償を求めて提訴した。二〇〇四年、最高裁で原告敗訴が確定するが、この補償問題が日英間でくすぶり続けたのである。

大衆紙に載せた橋本首相の謝罪

天皇皇后両陛下のご訪英を控えた一九九八年一月、橋本龍太郎首相の「日英はともに進まなければならない」と題した寄稿が、イギリスの大衆紙サンに掲載された。村山談話と同じ「反省とおわび」を表明し、日英の元軍人による東南アジアでの合同慰霊祭の開催、元捕虜やその家族の訪日事業の拡大を盛り込んだ。サン紙は「日本がサンに謝罪した」とまで報じた。イギリスのタブロイド紙に日本の首相が詫びを入れる異例の内容だったが、英国民の心に訴えたことは間違いない。

それでも同年五月に訪英された天皇皇后両陛下が、バッキンガム宮殿での歓迎式典に向かわれる途中、沿道で元捕虜のジャック・カプランさんたちが馬車列に背を向けて、ブーイングをした。そして日の丸を燃やしたことは、すでに記した。

するとカプランさんたちの行為に対し、イギリス国内では、「女王と政府の賓客（ひんきゃく）に対して無礼だ」との批判が上がり、「後ろを振り返るのではなく、前を向こう」という声が広がったのだ。

そこでブレア政権が決断した。元捕虜や遺族である配偶者に対し、一人当たり一万ポンドの特別慰労金を支給した。二〇〇〇年のことだった。英政府が国内問題として決着を図ったのである。

この背景には、沼田氏は「日本政府が日英関係の障害になった捕虜虐待問題を講和条約の枠内で解決しようと、英政府と協力して連携した経緯があった」と説明している。日英関係の泰斗だったサー・ヒュー・コータッツィ元駐日英大使は、筆者に、当時のイギリス側にも「日英関係を強化することが現実的で、天皇の戦争責任を問うことはできないことを受け入れる必要があった。後ろを振り向かず、日本とともに前を向いて進もうと決断した」と打ち明けた。戦争捕虜問題解決について、日英両政府が汗をかいたのである。

そして②の謝罪について。戦後五〇年に出された村山富市元首相の談話が転機となった。「植民地支配と侵略（aggression）」「多くの国々、とりわけアジア諸国の人々に対して多大の損害と苦痛（tremendous damage and suffering）を与え」「痛切な反省の意と心からのお詫びの気持ちを表明する（express my feelings of deep remorse and state my heartfelt apology）」――この談話発表後の記者会見で、村山元首相は、「これはイギリス人の捕虜も対象としたものだ」と説明した。

沼田氏は、このことで「一つの区切りが付いた」としている。歴史認識問題と絡め、いつまでも和解が進まない韓国と中国とは対照的に、村山談話でイギリスとの謝罪問題は決着が付いたといえるだろう。

最後に③の和解。講和条約を結び平和が回復されても、日英両国民の心にわだかまる感情的な摩擦を解決する「心のなかの問題」ゆえに、一番難しいものだった。

沼田氏は、「一ヵ月か二ヵ月に一回、元捕虜の方たちと会ったが、政府として和解することは、受け入れてもらえなかった。日本軍からの被害に遭った人たちからすれば、日本政府の公的機関である大使館の職員は、かつての日本軍と同じ意味合いを持つ。だから拒否反応が強かった。そこで触媒として大きな役割を果たしたのが、ボランティアの方々だった」と証言している。

多くの日本人ボランティアが和解に尽力したが、イギリス側でも、ビルマ戦線で将校だったフィリップ・メイリンズ氏は、「和解こそが、かつて戦った双方にとって最終的な勝利である」と述べるなど、多くのイギリス人が日本との和解に尽力した。

こうして日英和解は三つの歯車が回り、大きく動き始め、現在では「和解活動が進み、戦争捕虜問題のわだかまりは消えつつある」（マデン駐日英大使）までに進んでいる。

ＢＢＣで戦友を慰霊する元日本兵を観た元捕虜は

ただし、振り返ってみれば、第二次世界大戦における連合軍の戦死者は七％。一方、日本軍の捕虜になった英兵は約五万人で、その死亡率は二五％にものぼった。独軍の捕虜になった英兵の死亡率五％に比べても突出している。このことが、日英和解を複雑化させてきた。

日本は日露戦争で降伏したロシア人捕虜や第一次世界大戦でのドイツ人捕虜を人道的に扱ったことが世界で評価されているが、第二次世界大戦での捕虜虐待は歴史の汚点といえることを、忘れてはならない。

しかし、過酷な環境下で泰緬鉄道建設に関わった旧日本軍も突貫工事を強行し、犠牲を増やした。ビルマ戦線の旧日本軍の戦死者は約六〇%。泰緬鉄道関係のBC級戦犯は処刑されており、「旧日本軍のほうが捕虜よりも多く死んだ」という事実もある。だから「同じ日本人というだけで、どうして謝罪しなければならないのか」との思いもある。

そこで、泰緬鉄道建設に関わった日英の元兵士同士が直接対話し、和解する動きも出てきた。大戦中、日本軍の捕虜となり、重労働を強いられた元英兵たちが、二〇一五年六月、敵だった元日本兵をイギリスに招いたのだ。そしてロンドン中心部の軍人専用クラブで、日英の和解の夕べを開いた。元英兵たちは「憎しみからは何も生まれない」と、旧日本軍の老兵と固い握手を交わしたのだ。

イギリス側はハロルド・アチャリーさんら退役軍人やその家族、そして友人ら、数十人が集まった。アチャリーさんは一九四二年、シンガポールが陥落して日本軍の捕虜となった際、英第一八歩兵師団の情報将校を務めていた。そしてタイとビルマ（現ミャンマー）を結ぶ泰緬鉄道の建設現場に送られ、一日一八時間、密林を切り拓いた。配給された食料は、一日に二五〇グラムのコメだけ。鉄道建設に送られた一七〇〇人のうち、生還したのは四〇〇人だけだった。生死を彷徨（さまよ）う「地獄」の体験をしたアチャリーさんは、しかし戦後、沈黙した。

ところが二〇一四年、ＢＢＣテレビで、鉄道建設で命を落とした戦友を慰霊するためにビルマを何度も訪れる元日本軍兵士の木下幹夫（きのしたみきお）さんのドキュメンタリー番組を見て、涙が出た。「死ぬまで日本人を憎み続けて、何かいいことがあるのか。日本兵も過酷な環境にあった。手遅れにならないうちに彼と会い、友人になりたいと思った」

そしてマクドナルド昭子さんら「ビルマ作戦協会」の支援で、木下さんたち元日本軍兵士との再会が実現したのだ。

開戦当時、大阪で鉄道員として働き始めた木下さんは一九四一年に徴兵され、ビルマでオーストラリア人捕虜約一〇〇人とゾウを使って丸太を運び、橋の線路土台部分を建設していた。イギリスを訪れた木下さんは、「大雨に流されたり、コレラにかかったりして、多くの捕虜と日本兵が死んだ。捕虜たちを虐待した者もいたのだろう。気の毒だった。二度とこんな大きな犠牲を強いてはいけない」と強調した。

日本軍の人員・物資輸送用に造られた泰緬鉄道はわずか一年で完成したが、一万三〇〇〇人の捕虜など多くの人命が失われた。そのためイギリスでは、「死の鉄道」と呼ばれている。

靖国神社訪問の英軍ラグビーチームに対しタイムズ紙は

こうして和解が進むなか、残念な出来事があった。アジア初開催となった二〇一九年のラグビーワールドカップは、開催国・日本の躍進で盛り上がった。しかし、盛り上がりに水を差すようなラグビー関連記事が英タイムズ紙に掲載され、関係者に波紋を広げたからだ。

ワールドカップと同じ時期、九月九日から二三日まで、日本の防衛省主催の「国際防衛ラグビー競技会」が陸上自衛隊朝霞駐屯地などで行われ、自衛隊、英軍、ニュージーランド軍など、計一〇チームが各国軍代表として競い合った。

このうち訪日していた英軍人のラグビーチームが靖国神社を参拝した。これは、第二次世界大戦を戦った日英両国の和解と新しい時代の到来を象徴する出来事となるはずだった。英軍チームの公式ツイッターアカウントでは、靖国神社拝殿鳥居前に選手たちが整列した記念写真や、神職とのツーショット写真がアップされたのだ。

ところが英タイムズ紙のリチャード・ロイド・パリー東京支局長は、九月一六日付で、「英軍ラグビーチームが戦争犯罪者を祀る日本の神社を訪問」と、悪意に満ちた見出しで靖国神社訪問を厳しく批判した。そして、ポール・マデン駐日英大使がA級戦犯の合祀される神社への参拝を叱責し、念のため今後は日本で神社の参拝を避けるよう注意した、と伝えた。当然、物議を醸すことになった。

さらに同記事は、英軍選手たちが神職の案内で神社境内を「ガイドツアー」し、博物館の「遊就館」も見学したと伝えた。見学した英軍代表チームのアーティ・ショウ指揮官は、英タイムズ紙に、「靖国神社に対する認識が不足し、考えが甘かった」と答え、英軍代表チームのツイッターから、靖国神社訪問の写真を削除したという。

ところが駐日英大使館は、九月二〇日、「マデン大使はいかなる人に対しても日本の神社を訪れないよう指示したことなどない」との談話を発表し、英タイムズ紙の報道を否定した。そこで筆者がマデン大使に問い質したところ、「タイムズ紙のパリー東京支局長からは取材を受けておらず、靖国神社に行くななどと英軍ラグビーチームには話していない」と答えた。

すでに述べたように、「ビルマ作戦協会」の招きで訪日した英軍元兵士たちは、かつて干戈を交えた元日本軍兵士とともに靖国神社を訪問している。英軍ラグビーチームの靖国神社訪問を英タイムズ紙が歴史認識問題と関連づけ、ことさら問題視する報道をしたために、大きな騒動になったといえる。いずれにしろ、戦争捕虜問題で和解が進む日英関係に水を差す、残念な出来事であった。

悪意ある「フェイク・ニュースだ」

「私が見たなかでも、日本について最も露骨な差別的記事の一つだ」

アメリカ人の日本研究学者のアール・キンモンス大正大学名誉教授は、この英タイムズ紙の報道に対して、産経新聞にこう述べて、二つの誤りを指摘した。

一つは、靖国神社が「戦争犯罪人のためのものである」という主張だ。靖国神社は一八六九年、戊辰戦争（一八六八～一八六九年）で亡くなった人々を追悼して建立された。これは、「戦争犯罪」という概念が存在しなかった時代である。

次いで、駐日英大使館が「大使はいかなる人に対しても日本の神社を訪れないよう指示したことはない」との談話を発表し、明確に英タイムズ紙の報道を否定したことから、キンモンス教授は「フェイク・ニュースだ」と断定した。

さらにキンモンス教授は、欧米メディアが靖国神社を批判する際に持ち出すA級戦犯の合祀についても、①「A級戦犯」は政治犯罪で起訴された②東京裁判（極東国際軍事裁判）が「勝者の正義」に基づいている、などの理由から、欧米にも批判の根拠が薄いと考える専門家たちがいる点を強調した。

そしてキンモンス教授は、以下のように結論づけた。

「欧米には、日本の悪い面ばかりを取り上げる報道がかなりある。それどころか、まったく根拠のない批判をする場合もある。日本特派員のリチャード・ロイド・パリー氏だけでなく、タイムズ紙が疑わしい記事を書くのは初めてではない。このような露骨に偏った記事が故意以外のものであると見るのは難しい」

ＳＮＳの読者からは、パリー支局長のインチキと歪曲（わいきょく）を非難する投稿が数多く表明された。一方、「（靖国神社を参拝した）英軍のラグビーチームを尊敬する」という声も複数あった。

ラグビーはイギリスで生まれたスポーツである。だが、人の善意を悪意で伝えるパリー支局長の記事には、ラグビーが最も大切にしている相手へのリスペクト（尊敬の念）は見当たらない。

地下鉄サリン事件や阪神・淡路大震災があった一九九五年、インディペンデント紙の東京特派員として来日し、二〇〇二年から英タイムズ紙東京支局長に転じたパリー氏は、東京での取材が二五年に及ぶベテラン東京特派員である。これほど日本での経験が長いパリー支局長には、「フェイク・ニュース」（キンモンス教授）との誹り（そし）を受けないよう、日本を正しく理解してほしい。この記事が日英関係にいかに悪影響を与えたか、それも考えてもらいたい。

そもそも国に殉じた英霊を祀（まつ）る靖国神社を、中国や韓国が主張する軍国主義の象徴という視点で捉え、戦勝国史観から、靖国を参拝する日本人は右翼だというレッテルを貼らないでほしい。いうまでもなく、参拝者の多くは、侵略戦争を美化したり、軍国主義の復権を望んだりしてはいない。参拝は国のために戦った人へ哀悼の意を示し、恒久平和を望むためだ。ここに意義があることを、正しく認識すべきなのだ。

イギリスでは毎年、一一月一一日が第一次世界大戦の終結した記念日、リメンブランスデーとされている。この日には、ロンドンのウエストミンスター地区のホワイトホールにあるセノタフ（慰霊碑）に女王が献花し、戦没者を慰霊している。国のために戦った人に感謝することは、イギリスを含む万国共通のことではないだろうか。

英タイムズ紙が靖国問題で良好な日英関係に水を差す報道をしたように、「青空」を取り戻しかけた戦争捕虜問題も、まだまだ完全に和解が終了したとはいえない。和解は両国民の心にわだかまる「心のなかの問題」ゆえに、突発的なトラブルがあれば「憎しみ」は蒸し返される。日英の絆が揺らぐ危険性を孕んでいる。

二〇一六年六月から二〇一九年一一月まで駐英日本大使を務めた鶴岡公二氏は、大使在任中、最も力を注いだ事案として、イギリスのEU離脱（ブレグジット）とともに、この和解問題を挙げる。イギリス市民に講演する際には、最初に戦争捕虜問題を取り上げ、「謝罪」してから本題に入ったという。それを聴いたイギリス人からは、「よくぞ大使が謝ってくれた、ありがとう」と、感謝されたという。

「戦後和解は積み木を一つひとつ積み上げていく作業。（和解が進んだといわれるが）、まだまだ油断はできない。イギリスとの関係を完全に仕上げるためにも、今後とも力を注ぐべきだ」

そう気を引き締めていた。筆者もまったく同感である。

終章　武士道と騎士道とチャーチル

英兵が見た日本兵の騎士道精神

「日本にもイギリスのような騎士道精神があったことを日本人に伝えたいと思っていた」

英南部ベッドフォードの教会で、二〇一八年七月、退役軍人団体「ビルマ・スター協会」幹部の元軍司令官、ビル・スマイリーさんの葬儀がしめやかに行われ、そのとき司教はこう追悼した。

士官として旧ビルマ戦線で日本軍と戦ったスマイリーさんは、ジャングルを三ヵ月も彷徨った。大戦で英軍人約五万人が日本軍の捕虜となり、過酷な労働に従事させられ、イギリスに反日感情をもたらした。先述の通りビルマ・スター協会も、一九九八年に天皇陛下（上皇陛下）が訪英された際、パレードに背を向けて日の丸を焼き、「仲間が日本兵から虐待を受け、殺された」と、和解を拒み続けてきた。

しかし、逝去（せいきょ）する六年前の二〇一二年、スマイリーさんは元兵士の相互理解を目指す民間団体「ビルマ作戦協会」の要請を受け入れ、和解ミサに参加した。同じ旧ビルマ戦線で戦った元日本兵との共通体験から心が結ばれ、「戦友」と呼び合う仲になった。

その後、スマイリーさんは戦場での秘話を打ち明けた。

「ビルマ戦線のジャングルで、イギリス人の戦友が瀕死（ひんし）の重傷を負い、従軍できなくなった。その戦友をこれ以上苦しませないため撃ったことがある。そのとき日本兵は私たちを包囲しており、一部始終を目撃していた。私たちを攻撃できたにもかかわらず、黙って見逃した。これぞ武士道だと感じた」

司教がスマイリーさんの言葉として紹介した日本人の騎士道精神とは、武士道精神に他ならない。退役軍人のスマイリーさんは「日本兵の騎士道精神」を、現在の日本人に伝えたかったのではないだろうか。

夏目漱石が自称した「日本のジェントルマン」

日本の「武士」の「武士道」とイギリスの「紳士」の「騎士道」には、異なる点もある。武士道は自身の名誉や意地を重んじる。騎士道は正義を重んじる。武士は、名誉のために戦うが、騎士である紳士は、正義のために戦うのだ。

また戦争においては、武士道では敵への降伏を拒否して自殺する。が、騎士道に自殺はない。代わりに死ぬまで抗戦することを選ぶ。キリスト教が自殺を禁じているためだ。

さらに、騎士道はキリスト教の神への誓いを基本としているような趣がある。それに対して武士道の「カミ」は、儒教、とりわけ朱子学や、仏教のなかの特に禅宗、それに八幡大菩薩（はちまんだいぼさつ）など神道の混成である。したがって、武士は宗教戦士ではない。武士道は、武士が自らの精神性を高めるための根拠となっている。

こうした違いがあるものの、日本の武士（サムライ）とイギリスの紳士（ジェントルマン）

は、一卵性双生児のように似ていると思う。

このことを指摘したのは、一九〇〇年から二年ほどイギリスに国費留学した明治の文豪、夏目漱石だった。漱石は『倫敦消息』のなかで次のように「紳士」について考え、明治の日本には「エセ紳士」が横行することを嘆いた。

「英国には武士という語はないが紳士と（いう）言があって、その紳士はいかなる意味を持っているか、いかに一般の人間が鷹揚で勤勉であるか、いろいろ目につくと同時にいろいろ癪に障る事が持ち上って来る。時には英吉利がいやになって早く日本へ帰りたくなる。するとまた日本の社会のありさまが目に浮んでたのもしくない情けないような心持になる。日本の紳士が徳育、体育、美育の点において非常に欠乏しているという事が気にかかる。その紳士がいかに平気な顔をして得意であるか、彼らがいかに浮華であるか、彼らがいかに空虚であるか、彼らがいかに現在の日本に満足して己らが一般の国民を堕落の淵に誘いつつあるかを知らざるほど近視眼であるかなどというようないろいろな不平が持ち上ってくる」

徳川家康の直参の三河武士を先祖に持つ漱石。彼はイギリスに滞在中、自らを「ジェントルマン」と称し、下宿を探すため、デイリー・テレグラフ紙の一九〇一年七月一一日付広告欄に、こんな広告を載せている。

「日本のジェントルマン、賄い付きの住居を求む。文学に多少の趣味を有するイングランド人の家庭に限る。閑静で便利な北部、北西部、南東部を希望」

漱石は、イギリスには日本の武士に代わる紳士がいると考えたのだろう。

マレー沖海戦で見せた駆逐艦艦長の武士道精神

第二次世界大戦のビルマ戦線で日本軍と戦火を交えた退役軍人、スマイリーさんが、瀕死の重傷を負った同僚を襲撃せず、憐憫（れんびん）の情を見せた日本兵から「武士道精神」つまり、イギリスの「騎士道精神」を垣間見（かいまみ）たことを記した。同じように、大戦中、日本の駆逐艦艦長だった海軍中佐が、英海軍将兵四二二人の命を救う武士道精神を示している。この秘話は、恵隆之介（めぐみりゅうのすけ）著『敵兵を救助せよ！』に詳しい。

一九九八年五月、天皇皇后両陛下がご訪英された際、日本軍によるイギリス人元捕虜の補償問題が再燃したことは先述した。ご訪英が発表されると、元捕虜たちが戦争責任を陛下にまで転嫁し、ご訪英を阻止しようとした。こうしたなか、同年四月二九日付英タイムズ紙の読者寄稿欄に、元英海軍士官、サムエル・フォール卿による、「戦時中、日本帝国海軍に捕虜になったが、友軍以上の処遇を受け、助けられた」との記事が掲載された。そこでフォール卿は日本との和解を強く主張した。

フォール卿が告白したのは、太平洋戦争開始直後の一九四二年三月、日本の駆逐艦「雷（いかづち）」の工藤俊作（くどうしゅんさく）艦長による英海軍将兵救出劇だった。

マレー沖海戦では、英東洋艦隊の戦艦「プリンス・オブ・ウェールズ」と巡洋戦艦「レパルス」が撃沈された。このあと英海軍の二隻の残存艦艇は、翌年三月一日、インド洋への脱出を試みて、ジャワ海北西海域で日本艦隊に撃沈された。両艦の乗員合計四二二人は脱出して漂流、約二一時間近く経過した翌二日午前には、生存の限界に達していた。

　フォール卿も漂流兵の一人であり、赤道下の強烈な太陽光、欠乏する水分、サメ襲来の恐怖で極限状態となった。絶望して劇薬を飲み、自殺を図る者さえいた。哨戒中の工藤艦長率いる「雷」に偶然発見されたとき、いよいよ機銃掃射を受けて最期を迎えると覚悟した。ところが驚いたことに、「雷」は救難活動中の国際信号旗を掲げ、直ちに救助活動に入ったのだ。

　工藤艦長は、独断で、「一番砲だけ残し、総員敵溺者救助用意」の号令を下令した（上級司令部には事後報告）。そうして潮流に流されて四散した英海軍将兵を終日かけて救助したのだ。たとえ一人でも発見すると、「雷」は必ず停止し、総員で救助した。英海軍将兵のなかには艦から投下された縄梯子に自力で這い上がれない者もいたため、「雷」乗員が飛び込んで救助することもあった。

　このときは、一二〇人しか乗務していない駆逐艦が、四倍近くの敵将兵四二二人を単艦で救助したのである。世界海軍史上、空前絶後のことだ。戦時下、通常なら、反乱を恐れてここまでの救助は行わなかっただろう。しかも、この海域には連合軍の潜水艦が跳梁しており、撃沈される危険性も高かった。まさに決死の敵兵救出劇だったのである。

　さらに、甲板に引き上げられた英海軍将兵たちは感激した。汚物と沈没艦艇の重油で真っ黒になった敵兵の英海軍将兵たちを、小柄な日本の「雷」乗員たちが嫌がるそぶりも見せず、両脇から真水とガソリンで一人ひとり丁寧に洗浄し、温かくケアしてくれたからだ。加えて、英兵には被服や食料が提供され、士官には腰掛けも用意された。供与する艦載の被服が底を突くと、「雷」乗員は、自らの分を進んで提供した。

フォール卿は当時を回想し、「日本人は未開で野蛮だという先入観を持っていた。機銃掃射を受けて最期を迎えると覚悟した」という。ところが、「雷」のマストには救難活動中の国際信号旗が揚げられ、救助艇が降ろされた。そして乗員が全力で救助にかかる光景を見て、「夢を見ているかと思い、何度も自分の手をつねった」という。

勇敢に戦った英兵は「日本帝国海軍の名誉あるゲスト」

救助活動が終了すると、工藤艦長は英海軍士官だけを前甲板に集め、こう英語でスピーチした。

「自分は英王立海軍を尊敬している。貴官たちは勇敢に戦われた。本日は日本帝国海軍の名誉あるゲストである」

そして彼らに士官室の使用を許し、友軍以上に厚遇した。

一行は翌三日午前六時三〇分、オランダ病院船「オプテンノート」に移乗した。その際、舷門で直立して見送る工藤艦長にフォール卿は挙手の敬礼を行い、工藤艦長は答礼しながら温かな視線を送った。

国家のため職務を忠実に果たし、己を語らずという日本海軍の伝統（サイレント・ネイビー）であろうか、一九七九年、七八歳で生涯を終えた工藤艦長は、生前、家族や友人にも、この救出劇について一切語っていなかった。

天皇陛下のご訪英を前に、反日気運が高まるイギリスで、フォール卿が英タイムズ紙に投稿し、「友軍以上の丁重な処遇を受けた」と告白したことは、非常に勇気を要するものだった。しかし一般のイギリス人読者には、大きな感銘を与えた。圧倒的多数の英国民は両陛下を歓迎し、概して元捕虜たちの反日活動はトーンダウンしていった。

戦場で九死に一生を得たフォール卿は、厳しい状況下で工藤艦長が下した英断を「これこそ日本の武士道だ」と忘れなかった。そして戦後、海軍大尉から外交官に転じ、駐スウェーデン大使などを歴任しながら、自分と戦友の命を救ってくれた恩人・工藤艦長の消息を探し続けた。

しかし工藤艦長は、戦後、戦友と一切連絡を取らず、埼玉県川口市で親戚の病院を手伝いながら、ひっそりと暮らした。そのため「捜索」は困難を窮めた。

一九七九年、フォール卿は、工藤艦長が逝去（せいきょ）したことを知った。すると遺族に感謝の意を表したいとの思いが募り、関係者の尽力もあって、二〇〇八年一二月七日、埼玉県川口市の薬林寺（やくりんじ）境内（けいだい）にある工藤艦長（海軍中佐）の墓前に参拝することができた。六六年九ヵ月ぶりに、積年の再会を果たしたのだ。高齢のため車椅子を使うフォール卿が献花するときには、「座ったままでは失礼だ」と立ち上がり、敬意を表した。

心臓病を患っていたフォール卿にとって、一二時間のフライトを要する来日は、心身ともに限界に近かった。しかし、何としても存命中に墓参して礼をいいたかった。この強い意志と家族の支援があいまって、墓参は実現した。

付き添った娘婿ハリス氏は、遺族に、「我々家族は、工藤中佐が示した武士道を何度も聞かされ、それが家族の文化（Ｆａｍｉｌｙ Ｃｕｌｔｕｒｅ）を形成している」と語った。

フォール卿は、戦時に工藤艦長が示した「武士道」に対し、イギリスの「騎士道」で返礼したかったのだろう。


東芝機械ココム違反事件に際し米海軍提督たちは

フォール卿が貢献したのは日英和解だけではなかった。一九八七年春、東芝機械ココム違反事件が発覚し、日米関係は緊張した。このとき日本は、国際社会で孤立した。対共産圏輸出統制委員会（ココム）が輸出禁止にしていたスクリュー製造用精密機械を、東芝の子会社がソ連に不正輸出し、原子力潜水艦の海中における静粛性を飛躍的に向上させたためだ。

冷戦下で、米ソ両国が互いに核ミサイルの照準を合わせながら、世界各地でしのぎを削っていた。同時にアメリカの対日貿易赤字は拡大し、米国民は「日本は安保にただ乗りしている」

と批判、日本製品不買運動が全米各地で起きていた。

ところが日本海軍と交戦した米海軍の提督たちは、帝国海軍の後継者たる海上自衛隊を称賛し、「同盟軍中、最も高いポテンシャルを持つ組織である」（アーレイ・バーク大将）と、日本擁護に回ったのだ。というのも同年一月、フォール卿が米海軍機関誌「プロシーディングス」新年号に、「Ｃｈｉｖａｌｒｙ（騎士道）」と題し、工藤艦長の人道的救助劇を称賛する論文を寄稿したためだった。

同誌は世界の海軍軍人が購読しており、影響力は少なくない。結果、アメリカ国内の対日バッシングも沈静化したのである。工藤艦長らの遺産が日本の名誉を守ることに寄与したと見られるが、フォール卿は、日英のみならず日米友好にも貢献したのである。

第二次世界大戦中、工藤艦長が惻隠の情から英海軍将兵を助けた人道的な措置こそ、武士道精神だろう。また、国籍や人種を超えて工藤艦長の行為を騎士道に通じる武士道と認め、英国民に訴え、日英和解を説いたフォール卿も、騎士道精神を持っていた。日英和解、日英友好が深まる背景に、工藤艦長やフォール卿のような人物がいたことを、忘れてはならないだろう。

日英同盟破棄を主導したチャーチルの悔恨

ではイギリスで、日本に対して騎士道精神を発揮した人物は、他にもいないのだろうか。

筆者は、現在も「歴史上で最も偉大なイギリス人」と尊敬される名宰相、ウィンストン・チャーチルではないかと考える。

チャーチルは一九四〇年に大英帝国の首相となり、一九四五年七月の退任まで、第二次世界大戦を主導した。チャーチルの指導のもとにイギリスは戦争を戦い抜き、ナチス・ドイツの攻勢に劣勢だった逆境を脱した。不屈の「ジョン・ブル魂」でイギリスを勝利に導いたチャーチルは、BBCが二〇〇二年に行った「最も偉大なイギリス人」のランキングでも一位になるなど、高い人気を誇る政治家である。

そのチャーチルは作家としても有名で、一九五三年にはノーベル文学賞まで受賞した。

しかしながら、この英雄は、日本から見れば敵国の宰相であり、日米戦争が起こるようアメリカを動かした張本人である。日本を戦争に巻き込み、太平洋戦争では、共同開発した原爆を広島と長崎に投下することに最終同意し、日本を悲惨な運命に引きずり込んだ。

チャーチルは日本をいかに考えていたのだろうか?

政治家としてのチャーチルにとって重要な国は、アングロサクソンの兄弟国・アメリカと、ヨーロッパ制覇の野望を抱いたヒトラーのナチス・ドイツだった。「基本的に東洋には殆ど興味がなく、日本についても知識が多かったわけではない」(ロバート・ペイン著『チャーチル』から要約)。

実際、チャーチルは、中国についてはまったく興味がなかった。ただそれに対し、アジアでは数少ない独立国で文明国、そして天皇と皇室を抱く日本に対しては、一定の親近感を持っていた。

　チャーチルの家族にとっても、日本が重要な国であったことは間違いない。チャーチルがまだ二〇歳の若者であった一八九四年、父ランドルフ卿の休養を兼ねて、両親は世界周遊の旅に出た。このときは、日本にも立ち寄った。そして離日直後の一八九五年、ランドルフ卿は、四五歳の若さで死去したのだ。

　日本から送られてきた母の手紙のなかには日本の写真が同封されていた。チャーチルは母への返信のなかで、「お母さんからの手紙はとてもうれしいです。写真は美しく、日本の思い出の品として、一生大事にしようと思っています」と書いている。この日本で撮られた写真は、父ランドルフ卿が写った最後の写真となった。「日本はウィンストンにとって忘れがたい国であっただろう」（ロンドン・スクール・オブ・エコノミクス〈ＬＳＥ〉のアントニー・ベスト准教授）。

　日英両国は、一八九四年に締結された日英通商航海条約（治外法権を撤廃するなど日本が西洋列強と初めて結んだ対等条約）に基づき関係を深め、一九〇二年、日英同盟を締結する。

　若きチャーチルは日英同盟を歓迎した。

「日露戦争において、同盟国である日本が勝利して『朝鮮半島の併合と、中国並びに太平洋諸島に一定の権益を持つ』状況になり、このおかげでイギリスの艦隊が中国から安全に帰国できるようになったことを歓迎した」（河合秀和著『チャーチル―イギリス現代史を転換させた一

人の政治家　増補版』から要約）。つまり、日露戦争では日本を支持していたのだ。

さらに一九一四年に勃発した第一次世界大戦では、外務大臣のエドワード・グレイ卿は、中国をめぐる日本への不信感から、日本は参戦すべきではないとの考えを持っていた。これに対し、海軍大臣だったチャーチルは、むしろ太平洋から独海軍が立ち退くことを熱望した。「太平洋に位置する日本が参戦することは、イギリスにとって死活的に重要であり、イギリスの同盟国に『ひどい仕打ち』をしないようにとグレイに訴えていた」（アントニー・ベスト著『大英帝国の親日派』）。

チャーチルは感情を排し、現実的で戦略的な対日観を抱いていたのである。この現実的な対日政策論は、一九二一年の日本との同盟解消をめぐる議論でも見られた。

チャーチルは内閣の閣僚たちに、日英同盟に対するアメリカの反発を忘れてはならないと忠告し、同盟破棄を主導した。破棄理由について、チャーチルは、一九三六年にアメリカの雑誌「コリアーズ」へ「日本とモンロー主義」と題して寄稿し、「イギリスはアメリカと英連邦との関係を分断するような目標は追求しないというのが方針であり、日米関係の悪化によってアメリカの圧力で破棄せざるをえなかった」（関榮次著『チャーチルが愛した日本』から要

ウィンストン・チャーチル

約）と述べた。

イギリスにとって米英関係こそが外交では最も重要であり、日英同盟破棄は、米英関係を悪化させないための辛い選択だった。大局的に見て、アメリカとの関係を重視することがイギリスにとっての国益だと、現実的な判断を下したのだ。

その一方で、同寄稿では、「しかし、日英同盟の破棄は歴史の悲劇的な一章となるかもしれない」と指摘し、「日本は同盟破棄を日本の人種差別撤廃提案に対する侮辱的な回答として受け取ったが、英米はこの点について理解不足であった」とも書き、同盟破棄を悔恨している。「チャーチルは第一次世界大戦前後、日英同盟を破棄したのは間違いだったと考えるようになった」（関榮次著『チャーチルが愛した日本』から要約）。日本との同盟を維持する選択肢も頭の片隅にはあったのかもしれない。

日本は軍事的な脅威ではないと見ていたチャーチル

日本に同情的なチャーチルの姿勢は、一九三一年九月に始まった満洲事変でも見られる。「侵略」と批判する声もあったなか、チャーチルは、「日本人が中国で行っていることは我々がインドで行っていることと同じ」「これで中国も少しは収まるだろう」として、支持を表明した（ロバート・ペイン著『チャーチル』などから要約）。

満洲事変については、チャーチルのみならず、当時のイギリス世論や政界では、一般的に日らだ。

本を支持する者が多かった。腐敗して国民からの支持も低かった中華民国の政府は統治能力がなく、蔣介石（しょうかいせき）の国民政府が日本の合法的な通商権益を無法に侵していると考えられていたからだ。

しかし、日本で軍人によるクーデター未遂事件である「二・二六事件」や政治テロ事件が多発し、一九三〇年代半ばから日本がドイツに接近し始めると、チャーチルは批判を始めている。一九三六年に締結された日独防共協定については、事実上の「日独軍事同盟」であると警戒した。そして、一九三七年に始まった日中戦争（支那（しな）事変）によって、日英の利益は衝突するようになる。

ところがチャーチルは、イギリスにとって日本は軍事的な脅威ではないと見ていた。日本の軍事力を軽視していたのだ。「一九三九年三月には、日本人は『慎重な民族』なのだから、シンガポールを攻撃することなど絶対にないと信じていたことも確認できる」（アントニー・ベスト著『大英帝国の親日派』）。

『大英帝国の親日派』によると、チャーチルが見るところ、日本はイギリスの力に対抗する財力も工業力も持ち合わせていない弱国であり、目障（めざわ）りではあるが、真の脅威ではなかった。有色人種を蔑視した白人優位主義があったのかもしれない。ただ、日本の実力のほどを信用していなかったことは確かだろう。

こうした日本を過小評価するチャーチルの誤った日本観が、大英帝国時代以来の植民地支配の終焉の始まりとなった。

第二次世界大戦は、一九三九年九月一日、ドイツのポーランド侵攻によって始まった。イギリスはドイツに宣戦布告をしたが、ナチス・ドイツは圧倒的に強く、連日連夜のロンドンへの空襲で、イギリスの命運は風前の灯となった。

このときチャーチルは、「イギリスを救うには、アメリカを引きずり込むしかない」と考え、太平洋で日本がアメリカに戦争を仕掛けるように仕向ける「迂回作戦」を採った。アメリカやオランダを説得し、ＡＢＣＤ包囲網を構築し、日本を経済封鎖したのだ。

石油などの資源の供給がなくなれば、日本は「何か」を始めるというチャーチルの計算通り、一九四一年一二月八日、日本は真珠湾を攻撃した。そして、ほぼ同時にマレー作戦も開始した。真珠湾攻撃の一報を受けたチャーチルは、アメリカが参戦したと聞いて、「このうえない喜び」を感じた。

「我々は結局勝利を収めたのだ」と、チャーチルは『第二次大戦回顧録』に書いたが、日本の実力を過小評価していたことが悲劇を呼んだことは間違いない。日本軍はマレー半島に上陸し、わずか七〇日後の一九四二年二月、シンガポールを陥落させたのだ。

英国立公文書館所蔵の内閣合同情報小委員会報告書によると、ワシントンで日米交渉が大詰めを迎えた一九四一年一一月一八日に同小委員会が開催され、「日本の意図」として、「日本政府は米英と戦火を交えるリスクを冒す決断に至っていないが、交渉が決裂すれば、イギリス、アメリカ、オランダと戦端を開く進攻作戦を行う判断を迫られる」と、日本の軍事作戦を予測していた。

進攻先としては、「aタイ　bマレー　c蘭印（らんいん）（オランダ領東インド＝現在のインドネシア）dロシア（ソ連）沿海州」を挙げたうえで、「日本は対英、おそらく対米開戦の予備的作戦として、最初にタイに進駐する。タイ占領後にマレー、さらに不足する石油を求めて蘭印に進攻する。日本の石油備蓄量は九ヵ月から一二ヵ月分であるからだ」と、石油資源獲得目的で英領ボルネオから蘭印に進むと予測している。

一方、伝統的な敵であるロシア（ソ連）への進攻は、「圧倒的な優位性がないため、極東ロシア軍が弱体化するまで据え置かれる」と否定した。

さらに、アメリカが事実上の最後通告となるハル・ノートを出した二日後の一一月二八日に開催された同小委員会では、「日本軍が取る可能性のある軍事行動」と題して、「マレーと蘭印作戦を進めるため、タイへの進駐はほぼ確実。ワシントンでの交渉決裂直後に実行されるかもしれない」と、差し迫ったタイ進駐を予測している。

そして「マレー進攻はおそらく北の陸上から実施され、半島最南端のシンガポール強襲も海上からは行われない」とし、マレー半島を南下してシンガポールを攻略する作戦の概要をも把握していた。

「大英帝国史上最大の悲劇であり、大惨事」

こうした日本の軍事作戦を的確に予測する情報がありながら、チャーチルは「大英帝国史上最大の悲劇であり、大惨事」（チャーチル著『第二次大戦回顧録』）を招いたのである。

このシンガポール陥落は、チャーチルの生涯において、第一次世界大戦におけるガリポリの戦いとともに、二つの大きな軍事的敗北となった。鋭い戦略眼に定評があるチャーチルは、なぜ失敗したのだろうか。日本研究家のロンドン・スクール・オブ・エコノミクス（ＬＳＥ）のアントニー・ベスト准教授は、以下のように手厳しく評価している。

「この誤算の原因を、彼は誤った情報を伝えた担当者のせいにしているが、事実は違った。少なくとも一五年以上前から、チャーチルは日本の優れた能力を過小評価する固定観念をもっていた。それをぬぐい去れなかったのは彼自身の過ちなのである。日本はイギリスを攻撃するという大胆さなど持ち合わせていない、そんな力をもつ国ではないという確信が、彼の対日政策を規定していたことは否定できないだろう」（『大英帝国の親日派』）

英軍は惨敗し、植民地での反英闘争激化を招き、その結果、植民地のほぼすべてを失うこととなった。イギリスは何百年もかけて帝国を建設し、インド、アフガニスタン、北パキスタンなど、アジアの多くの国々を植民地化した。しかし、日本人はそうした植民地支配を受けた人種とまったく違った。日本が軍事進攻した途端、何百年も続いた帝国は、あっけなく崩壊したのだ。

イギリスは日本のマレー進攻によって、催眠術にかけられてしまったように、降参するしかなかった。シンガポール防衛軍のアーサー・パーシバル司令官は、金縛りにでも遭ったかのように、まったく戦うこともせずに戦意を喪失し、降伏した。

シンガポールは、大英帝国のアジアにおける繁栄のシンボルだった。そのため陥落の一報は、イギリスに大きな衝撃を与えた。英国民の誰一人として、そのようなことが現実に起ころうなどとは、夢にも思っていなかった。それが現実であると知ったときの衝撃と屈辱は、察して余りある。

日本軍が大英帝国を崩壊させたということになる。その屈辱を受けたチャーチルの日本に対する怒りは少なくなかっただろう。

チャーチルが見せた武士道精神

序盤の劣勢から盛り返した米英など連合軍は、ナチス・ドイツを無条件降伏させたあとの一九四五年七月、ドイツのベルリン郊外ポツダムで、日本の戦後処理について協議した。

同年四月に急逝したフランクリン・ルーズベルト大統領に代わってアメリカの第三三代大統領となったハリー・トルーマン大統領は、同月一八日、チャーチルの宿舎を訪れ、昼食をともにした。

チャールズ・ミー著『ポツダム会談―日本の運命を決めた17日間』によると、以下のようなやり取りがあった。

「トルーマンは昼食をたべながらいった。

『本会議が終わったころ、全く新しい型の爆弾、日本の戦争継続意志に決定的影響を与えそうな（原子爆弾といわないで）通常のものとはまったく違うものをつくったといおうと思っています』

チャーチルはちょっと考えてから、同意した。

二人は対日戦争にひそむもう一つの危険を予想した。それはアメリカが勝つ前に、日本がソ連の外交経路を通じて降伏する危険であった。前夜、スターリンがチャーチルに、日本がモスクワに和平を打診してきたことを話した。近衛(このえ)特使派遣の件である。そこでチャーチルはトルーマンに『日本は無条件降伏は受け入れられないが、他の条件については妥協してもよい、といってきたそうですよ』と知らせた。（中略）

チャーチルはつづけた。

『わたしはもしも日本に〝無条件降伏〟を無理強いした場合、アメリカが被(こうむ)るたいへんな人的損害と、それよりも少ないでしょうが、イギリスの損害も考えてみたんです。将来の平和と安全のための必要物を全部入手し、日本に軍事的名誉を保たせるなんらかの見せかけ、日本の国家的存在のなんらかの保証を残してやるような、なんらかの他の形式でこれを表現できるか

どうかを考えましたがね』（中略）

トルーマンとしては〝無条件降伏〟形式にあくまで固執し、日本を戦いつづけさせる必要があった。そして原子爆弾を落とせば、日本はアメリカに降伏する。（中略）トルーマンはソ連軍が配置につく前に日本に勝ちたかった。（中略）

彼（トルーマン：引用者註）はチャーチルが日本の〝名誉〟といったのをつかまえ『私は真珠湾以後、日本にはいかなる軍事的名誉もないと思っています』と答えた」

国益を重視した現実的な判断から、かつての同盟国・日本を見放したチャーチルだったが、日本が最後に求めた国体護持を認め、降伏条件の緩和も想定し、トルーマンに提案したのである。これこそ、日本の武士の美徳として称賛されてきた、敗者に対する慈悲と惻隠（そくいん）の情を示す「仁」ではなかっただろうか。

その提案は、原爆投下によるアメリカ主導の終戦を構想したトルーマンには却下されたが、チャーチルには、窮地に陥った日本に惻隠の情を示し、武士の名誉を守ろうとする「騎士道精神」があったといえる。

最終的にトルーマンの構想に足並みをそろえ、広島と長崎への原爆投下にも合意したが、ポツダムでトルーマンに示した日本の軍事的名誉への配慮は、日本人としては記憶にとどめておいても良いだろう。チャーチルのなかにも「武士道」があったのだ。

エリザベス女王戴冠式に出席した皇太子を支援

開戦時に日本を過小評価していたチャーチルは、戦後は一転して、日本との関係改善に乗り出す。現実的にものを考える政治家であったからなのだろうか。

その後、冷戦が始まり、共産主義・ソ連の脅威が高まった。大英帝国を崩壊させた日本は島国に戻り、アメリカの占領下に置かれ、もはや敵ではなくなった。むしろ、皇室と王室という立憲君主制の政治体制を同じくする類似性から、日本には敵対心よりも親近感が増したのも当然だった。

「(チャーチルは：引用者註) かつての敵国である日本が戦後世界で欠くべからざる重要な役割をもつ国となることに気がついていた。そうであれば、イギリスは日本との関係改善のために最大限の努力をすべきであった」(アントニー・ベスト著『大英帝国の親日派』)

そこでチャーチルは、終戦から三年後の一九四八年に出版した『第二次大戦回顧録』第一巻で、一九二一年のワシントン会議で日英同盟が終焉(しゅうえん)を迎えたことを嘆いた。ここでは「欧米がアジアの国を拒絶したことを意味する。同盟の終焉によって、後に世界平和に決定的な価値を有することになる多くの絆を断ち切ることになった」などと記したのだ。チャーチルはいち早く日本を評価し、関係改善に布石を打ったと考えられる。

さらに一九五一年一〇月に首相に返り咲くと、サンフランシスコ講和条約を結んだ日本に対し、一貫して非懲罰的な政策を支持した。アメリカ主導の日本の再軍備についても、「今後、台頭するであろう共産主義や中国への対抗策として、唯一のものである」とし、反対しなかった。

第二次世界大戦の勝利から六年、英国民は、大英帝国が衰え、新興国家アメリカがそれに代わって世界のリーダーになる流れを実感していた。世界の共産化を目指して台頭するソ連に対抗するため、米英は、復興する日本の経済力を必要としていたのだ。

そこで一九五三年四月、六月に行われるエリザベス女王の戴冠式に昭和天皇の名代として出席するために訪英した皇太子明仁親王（上皇陛下、当時一九歳）を、チャーチルは全力で支援している。しかし大戦終結から、まだ八年……戦争で疲弊したイギリスでは物資の配給制が残り、敵国だった日本に向けるイギリス社会の眼差しは厳しく、そのため式で用意されたのは末席だった。

とりわけ日本軍の捕虜となった元英軍将兵たちを中心に、反日感情には極めて強いものがあった。虐待された英軍捕虜の体験を描いた『戦場にかける橋』（ピエール・ブール著）などの出版物はベストセラーとなり、その後、映画化されて大ヒットした。反日映画は高い興行収入を上げ、メディアでは反日報道が連発され、在留邦人はイギリス人から嫌がらせを受けることもあった。

イギリスの大衆紙も激しい反日キャンペーンを繰り広げており、特に主導していたのはデイリー・エクスプレス紙だった。皇太子がイギリスに到着した日、デイリー・エクスプレス紙は、「日本の皇太子を戴冠式に出席させるべきか」と読者に質問したところ、反対が六八％にものぼったと報じている。

しかし老宰相チャーチルは、日英関係改善のため、敗戦国日本からやってきた一九歳の青年皇太子、明仁親王の身の安全などに気を遣い、手厚く遇したのである。

皇太子歓迎の昼食会でチャーチルは

チャーチルは、皇太子接遇の陣頭指揮を執り、対日感情を和らげるのに腐心した。大の親日家だった母ジェニーの影響があったからかもしれない。

チャーチルは、反日キャンペーンを続ける大衆紙の社主ら著名人約三〇人をウエストミンスターの首相官邸に招き、特別な歓迎昼食会を催した。皇太子を引き合わせたのだ。首相自らが日本の皇太子を賓客として丁重にもてなすことを眼前に披露し、理解を深めてもらうことで、新聞各紙の反日論調を抑えようとしたのだ。

このときチャーチルは、慣例を破って女王への献杯の前に皇太子のために杯を捧げ、長い歴史で培われた日本の優れた文化と芸術を称えた。そして、一世一代のスピーチを行ったのだった。

「殿下は非常に幸福な青年だ。我々は過去に属しているが、殿下は未来を持っていらっしゃる」

「政治的に日英間には深い溝があるかもしれないが、我々はこうして集い、友人として食し、かつ酒を酌み交わすことができるのです」

食卓に置かれていた二頭の馬のブロンズ像は、首相の母親が六〇年ほど前の一八九四年に日本を旅行中、プレゼントされたものだった。親日イメージを醸し出す心憎い演出だった。そして馬の像を指して、こう述べた。

「願わくは、未来においては、戦艦によってではなく、芸術の力によって民族の偉大さを評価することが多くなることを」

またチャーチルは、日英両国が立憲君主制という共通の紐帯を持っているとして、立憲君主制の重要性を論じた。

特別昼食会のイギリス側出席者の人選に関与したジョン・ピルチャー元駐日英大使は、英外務省に宛てた外交文書で、「皇太子殿下の完全に無防備なご性質、また殿下は軍部との共犯性において明確に無実であるため、すべての出席者を武装解除させた」とし、昼食会でイギリス側の雰囲気が和んだとの観察を記録している。

随員だった吉川重国氏の著作『戴冠紀行』にも、「あたかも孫を扱うようにほんとうに打ちとけて」と、チャーチルへの感謝が記されている。

昼食会を境に、チャーチルとの会談の様子が大衆紙デイリー・メールなどで報じられると、メディアの反日キャンペーンは収まった。そして六月二日、皇太子はエリザベス二世の戴冠式に参列し、天皇の名代として大役を果たした。この訪英を契機に、日英関係は、改善に向かったのだ。

初の海外歴訪で親愛に満ちたもてなしを受けた記憶が、現在の上皇陛下の胸に深く刻まれたことは想像に難くない。上皇陛下は、このご訪問を振り返り、以下のように述べられている。

「当時の英国の対日感情は、厳しい状況にあると聞いており、事実、英国の一地域においては訪問が受け入れられなかったような事態もありましたが、チャーチル首相はじめ、知日英国人、在英大使館員などの尽力により、私自身はそのような雰囲気をあからさまに感じるようなことに遭遇することはありませんでした。関係者の心配りによるものであったことと思います。戴冠式では女王陛下をはじめ、英国の王族、外国からの代表とお会いし、興味深く、楽しい時を過ごすことができました」

このようにチャーチルの接遇に対し感謝しているのだ。

日英同盟の奥に潜む武士道と騎士道

皇太子だった上皇陛下の訪英に続いて、一九五四年一〇月には、吉田茂首相が訪英する。

チャーチルは吉田首相も厚遇し、それに感謝した吉田首相は、帰国後、同じ大磯に住む日本画家、安田靫彦画伯に富士山の絵を描いてもらい、それを贈った。すると、日本びいきになった母親のジェニーから富士山の美しさを聞かされていたらしいチャーチルは、この絵をとても気に入った。そして、一九五七年に訪英した岸信介（きしのぶすけ）首相に、この絵を指しながら、「一度この目で富士山を見て描きたかったが、もはやそれも叶わなくなった」（関榮次著『チャーチルが愛した日本』）と語ったという。

　チャーチルは日本びいきではなかったかもしれない。しかし戦後、反日感情が強かったイギリスで皇太子（上皇陛下）を温かく迎え、周囲の人たちの気持ちを和らげたのは、国益を求める合理的な現実主義からだけではないだろう。積極的に「敵国」との関係改善に取り組んだその姿勢からは、母親の影響で親しみを持つようになった日本への想いが感じられる。

　降伏に当たって、国体護持を求める日本の軍事的名誉を考慮する意思をハリー・トルーマン大統領に示したこととも考え合わせると、チャーチルは武士道につながる騎士道精神を持った、真の「ジェントルマン」だったといえよう。

　武士道と騎士道は酷似しており、まるで一卵性双生児のように感じられる。

　戦後七五年を経て、令和の時代に、日英同盟復活の声が高まるほどに日英友好が深まった背景には、チャーチルやフォール卿の騎士道精神があったはずだ。筆者には、そう思えてならない。

あとがき――G20でメイ首相の目的は「シンゾー・アベ」

世界各国の首脳から、これほど退陣を惜しまれた日本の指導者はいなかっただろう。二〇二〇年八月二八日、持病の悪化から突然辞任を表明した、第九〇・九六・九七・九八代の首相を務めた安倍晋三氏である。イギリスのボリス・ジョンソン首相にとってもショックだった。

「辞任を心から惜しむ。主要七ヵ国首脳会議（G7サミット）はじめ国際的な場で、日本と世界のために数々の偉大な業績を上げたことに敬意を表したい。日英関係が安倍晋三首相のもと、貿易、防衛、文化的連携において成功に成功を重ね、より強固になったことに感謝する」

辞任表明から五日後の九月二日、ジョンソン首相はこう電話で労うと、安倍首相は、「日英両国は、近年、アジアやヨーロッパで最も緊密な安全保障上のパートナーとなり、英海軍艦艇の日本寄港やアジア太平洋地域での共同訓練、それに北朝鮮の『瀬取り』への対処など、安全保障・防衛協力が飛躍的に深化した」と答え、協力への謝意を伝えた。

ジョンソン首相が「国際的な場で、日本と世界のために数々の偉大な業績を上げた」と評価したように、安倍首相の最大の功績は、経済や安全保障でも世界の政治に日本が参画し、国際社会における日本のプレゼンス（影響力）を高めたことだ。

Ｇ７サミットで欧米が対立すると、安倍首相が「行司役」として原則論に立って発言し、荒れた会議を落ち着かせることがあった。

アメリカのドナルド・トランプ大統領が一国主義の孤立主義的な政策を採る一方、安倍首相は「多国間主義を掲げ、共通の価値観のために闘うことに献身してきた」（アンゲラ・メルケル独首相）。トランプ大統領に代わって自由主義世界の指導者としての役割を果たしたといっても過言ではない。

長期安定政権を土台に、官邸主導の価値観外交で提唱した「自由で開かれたインド太平洋構想」は、米英をはじめヨーロッパ、東南アジア諸国連合（ＡＳＥＡＮ）加盟国など、国際社会が幅広く受け入れた。明治以降、日本が初めてイニシアチブを取って、国際秩序を形成した。世界平和を求めて、アメリカとのあいだを取り持つため、イランも訪問した。

世界で自由貿易体制の行方（ゆくえ）が危ぶまれるなか、アメリカが離脱した環太平洋経済連携協定（ＴＰＰ11）を、残る一一ヵ国でまとめ上げた。日本とＥＵの経済連携協定（ＥＰＡ）も発効させた。アジア太平洋とヨーロッパの連携を強めたのだ。

何よりもトランプ大統領と蜜月関係を築き、日米同盟をかつてないほど強固にした。中国が尖閣諸島や南シナ海などで「一方的な現状変更」を試み、暴走を繰り返すなかで、アメリカがアジア政策の根幹として日本との関係を重視したことは、大きな成果だった。同時にイギリスが、日本を「アジアの安全保障における最大のパートナー」と位置づけたことの意義も大きい。自由と民主主義、そして法の支配という価値観を同じくする米英が、安倍首相と日本を、西側民主主義国家の主要プレーヤーとして認めたのだ。

ジョンソン首相が指摘したように、日英両国は、安全保障、自由貿易、文化連携などで成功に成功を重ね、より強固になった。一方的な中国の海洋進出や軍拡、そして核・ミサイル開発を進める北朝鮮をにらみ、アメリカを共通の同盟国とする日英間で利害が一致した。一九二三（大正一二）年の日英同盟失効から約一〇〇年を迎え、「新・日英同盟」が胎動の兆しを見せている。

筆者がロンドン支局長だった二〇一八年一一月、アルゼンチンの首都ブエノスアイレスで開催された主要二〇ヵ国・地域首脳会議（G20サミット）を前に、イギリスの首相官邸（ナンバー10）で開催された記者会見で、イギリス人記者が、「本会議の他にメイ首相の参加目的は？」と質問した。すると報道官が、「日本の首相、シンゾー・アベと非公式会談を行う。彼は、G7のリーダーで唯一、イギリスのブレグジットを支持している。自由貿易推進や安保協力について話し合う」と語ったのである。

すると、すかさず中国の新華社通信の記者が、「中国の習近平国家主席も参加するが、会談予定はないのか」と質した。が、報道官は、「その予定はありません」とさらりとかわした。日本の安倍首相のプレゼンスの高さを感じ、誇らしい気持ちになったことを思い出した。

安倍首相が率いた日本は、世界で「信頼できる国」となった。オーストラリアのシンクタンク「ローウィー研究所」が二〇二〇年三月に行った世論調査では、日本を「責任を持って行動する国」とした人が八二%で、八四%のイギリスに次いで二位。アメリカ（五一%）よりも格段に高かった。対照的に中国に対しては、肯定意見は二三%で、過去一四年間で最低だった。安倍首相に対しても七三%の人が信頼できると答え、ニュージーランドのジャシンダ・アーダーン首相の八七%に次いで二位。オーストラリアのスコット・モリソン首相（六〇%）よりも高かった。

ロンドンの日英関係筋によると、日英関係を、「ア・プリオリのパートナーシップ（自ずから結ばれている関係）」と表現した安倍首相は、日本が日米同盟を基軸に新たな日英同盟を目指すことに熱心であった。二〇一三年に訪英した際には、日露戦争時、香港上海銀行のロンドン支店長だったデービッド・キャメロン元首相の高祖父が、日本の戦時国債を購入して支援した「深いつながり」を披露している。

安倍首相はイギリスと自由貿易協定（ＦＴＡ）を締結し、環太平洋経済連携協定（ＴＰＰ）に米英を誘い、アングロサクソン五ヵ国が構成する機密情報共有ネットワーク「ファイブ・アイズ」と連携を強化しながら、台頭する覇権国家・中国に対抗する構想を描いていたとされる。五ヵ国のうち、カナダ、オーストラリア、ニュージーランドはＴＰＰ11に加盟しているが、残る米英のうち、イギリスとは約一〇〇年前まで日英同盟を、戦後はアメリカと日米同盟を組んでいる。日本が参加する「シックス・アイズ」形成は、自然の成り行きである。

安倍首相は重要情報を分析し、緊急事態への対処を審議する国家安全保障会議「日本版NSC」、さらに国家安全保障会議を補佐するための事務局として国家安全保障局（NSS）を創設した。さらに特定秘密保護法も成立させ、官邸主導で「コレクティブ・インテリジェンス（協力諜報）」で成果を上げた。防衛省が傍受する北朝鮮と中露の軍事情報や、公安が扱うテロ情報は、米英から重宝されている。

しかし、首相直轄の「対外情報機関」の創設と、テロ情報や外国の政治・軍事情勢の収集活動に当たる要員を育てて「日本版ＣＩＡ」を内閣官房に設置することは、官房長官時代からの宿願であったが、実現できなかった。

日本を「普通の大国」とするために粉骨砕身した安倍晋三氏の努力に心から感謝するとともに、十分な休養を取って体調が回復したのち、もう一度、国家の舵取りを担っていただきたい。

歴史を繙けば、桂太郎内閣は第三次まで、伊藤博文内閣は第四次まで、政権を担っている。万全の体調に戻れば、再々登板で、三度目の政権への期待感が高まることだろう。

一方、菅義偉新首相は、官房長官として七年八ヵ月もの長きにわたり首相を完璧に支えてきた。安倍路線を後継するには、これほどの人材はいない。

ところが、九月一日のアメリカ国防総省の発表によると、中国海軍の軍艦と潜水艦は約三五〇隻となり、二九三隻の米海軍を抜いた。中国の核弾頭保有数も、今後一〇年間で、現在の二〇〇個程度から倍増するとされる。中国は地上配備型の中距離ミサイルを一二五〇発以上保有するが、アメリカはゼロである。

覇権志向を強める中国を前に、アメリカに頼り続けることには限界がある。激化する米中対立の狭間（はざま）で、世界に向き合い、日本のプレゼンスを高め、日米同盟を強化しながら自立強化せねばならない。それには、足場を同じくするアングロサクソン諸国との協力を深化させ、その中核国であるイギリスと連携を深め、新たな同盟まで関係を強めるべきだ。

もう一つ、ロシアとの北方領土問題で、急接近するイギリスの後ろ盾を得て、局面打開ができないかと考える。ロシアが「第二次世界大戦の結果を受け入れろ」と、北方領土の領有権の根拠としているのは、アメリカとイギリスのあいだで密約した「ヤルタ協定」であるからだ。

この「ヤルタ密約」について、アメリカは、一九五三年と一九五六年に、ドワイト・アイゼンハワー政権が法的根拠を認めず、無効と宣言している。これに対し、もう一つの当事国イギリスは、立場を公式に表明していない。

しかし、英国立公文書館所蔵の公文書によると、署名したチャーチル首相や英外務省は、当初から法的有効性に疑念を持っていた。また外務省は、二〇〇六年二月八日、衆議院における鈴木宗男（すずきむねお）議員からの質問に対し、「英政府の見解は、我が国の認識を否定するものではない」と答えている。

すなわちイギリスは日本の立場（ヤルタ密約に拘束されず、四島領有には法的な有効性がない）を支持していることを示唆している。英政府がアメリカと同様にヤルタ密約は無効だと公式に宣言すると、ロシアは北方四島の領有権の法的根拠を失うだろう。

菅首相には、安倍外交のレガシーを継承しながら米英の支援を取り付けて、ロシアのウラジーミル・プーチン大統領と「ヤルタ密約」の有効性について真剣に議論をしていただきたい。

本書執筆に当たり、元外務省主任分析官の佐藤優氏には、日英が一〇〇年前の友誼を復活させ、インド太平洋でアングロサクソン諸国とともに中国と対峙する本書の趣旨に、ご賛同いただいた。そして本書のオビと広告の推薦文として、「米中冷戦の行方と、インド太平洋の未来は、日本と英国が決める！」との一文を頂戴した。深謝申し上げたい。改めて、戦前、戦中に活躍した日本の「耳の長いウサギ」の復活を、ともに願いたい。

またロンドン駐在時代から積み残した「東郷元帥ゆかりの銀杏」の里帰りなど、日英同盟復活の動きをフォローして書き留めることに温かく理解を示していただいた勤務先の産経新聞社論説委員室の乾正人委員長にも、記して謝意を表したい。

講談社時代に筆者が赴任していたロンドンを訪れて「新・日英同盟」に関心を持たれ、本書の執筆を熱心に勧めてくださった編集者、間渕隆氏と、執筆の機会を与えてくださった白秋社の高橋勉社長にも、心より感謝したい。

このあとがきを執筆中の九月一六日、ジョンソン首相は、ツイッターで、菅首相の就任と合意した歴史的な日英ＥＰＡによって、「すでに強固な日英関係が新たな高みに向かう」と述べた。そして菅新首相を祝い、議会では日本の「ファイブ・アイズ」加盟を歓迎すると明言した。「米中二股外交」は、世界では通用しない。菅首相がイギリスのラブコールに応え、「シックス・アイズ」の一メンバーとして「新・日英同盟」を実現することを期待し、筆を擱（お）きたい。

二〇二〇年秋　コロナ禍で自粛が続く東京・世田谷の自宅にて

岡部（おかべ）　伸（のぶる）

著者　岡部 伸（おかべ・のぶる）
1959年、愛媛県に生まれる。1981年、立教大学社会学部卒業後、産経新聞社に入社。社会部記者として警視庁、国税庁などを担当したあと、アメリカのデューク大学とコロンビア大学東アジア研究所に留学。「グランド・フォークス・ヘラルド」紙客員記者、外信部を経て、モスクワ支局長、東京本社編集局編集委員。2015年12月から2019年４月までロンドン支局長を務める（同時期、立教英国学院理事）。現在、同社論説委員。
著書には、『消えたヤルタ密約緊急電』（新潮選書、第22回山本七平賞受賞作）、『「諜報の神様」と呼ばれた男』『イギリス解体、EU崩落、ロシア台頭』『イギリスの失敗』（PHP研究所）などがある。

新（しん）・日英同盟（にちえいどうめい）

100年後の武士道と騎士道

2020年10月28日　第１刷発行
2021年１月14日　第２刷発行

著　者　　岡部 伸
装　幀　　川島 進
カバー写真　ゲッティイメージズ
発行人　　高橋 勉
発行所　　株式会社白秋社
〒102-0072
東京都千代田区飯田橋4-4-8 朝日ビル5階
電話　03-5357-1701
発売元　　株式会社星雲社（共同出版社・流通責任出版社）
〒112-0005
東京都文京区水道1-3-30
電話　03-3868-3275／FAX　03-3868-6588
印刷・製本　株式会社新藤慶昌堂
校正者　　得丸知子

ISBN 978-4-434-28082-5